Living with a Negative Capability

ネガティヴ・ケイパビリティで生きる

答えを急がず立ち止まる力

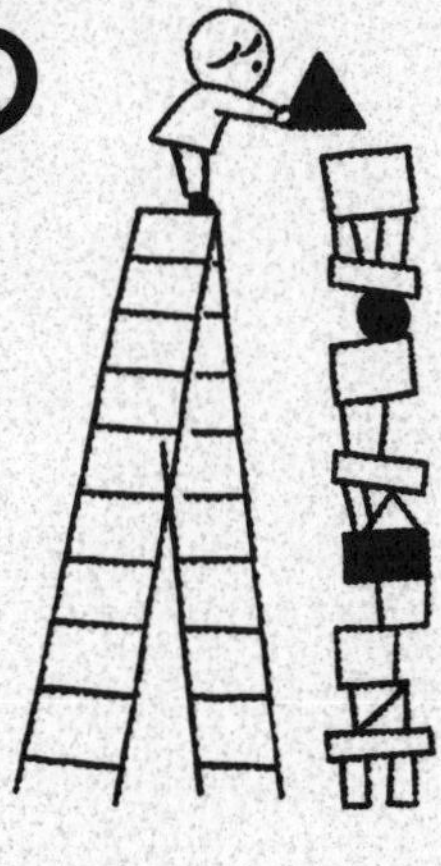

谷川嘉浩
朱喜哲
杉谷和哉

さくら舎

はじめに

谷川嘉浩《たにがわよしひろ》

思考の共犯関係を結ぶ

『闇の自己啓発』（早川書房）という一風変わったタイトルの本の「まえがき」には、〈個人が「自己」を持って批評精神や思考力を発揮することを嫌う風潮が世間や組織でますます強まっているとき、「人形」にならずにいるために、何ができるか〉という問いが掲げられています。何かに逆らう人、空気を読まない人、声を上げる人に対する反感やシニカルな雰囲気は、確かにこの社会で共有されているでしょう。

『闇の自己啓発』では、この問いに対して、「思考する共犯者」を持てば思考し続けやすくなり、自己を失わずに済むのではないかという答えが出されます。前段や問いはさておき、そこで提示された「思考する共犯者」というアイディアは魅力的です。

たとえば、「いいこと言ったな、この辺が答えになるだろう」と思える考えに至ったとき、私が自分一人で思考しているなら、話はそこで終わってしまいます。しかし、思考の共犯者がいるなら、その考えに耳を澄ませながらも、さらなる疑問を投げかけてくれますし、一緒に議論の妥当性を吟味《ぎんみ》した結果、二人して思いもしない場所に辿《たど》り着くこともあります。自分一人で考えると、簡単に「考えたつもり」になってしまうけれども、誰かと一緒に考えると、思いもしないアイディアや展開につながっていく可能性があるということです。

「思考の共犯者」という視点は、明快な理解や直接的な表現を与えることが難しい状況に取り組もうとするときほど大切です。不確実で複雑な状況に対峙《たいじ》するとき、共に手探りで思考を進めながら、学び、語り合うことが肝要《かんよう》なのですが、「思考する共犯者」とはそういう旅の道連れのことです。この本は、そんな意図でなされた語り合いの記録です。

現代社会では消極性が失われがち

本書最大のキーワードは、「ネガティヴ・ケイパビリティ」です。この言葉を聞いたことのない人の方が多いでしょうか。ビジネスなどの文脈でも何らかの「ケイパビリティ」について聞くことはありますが、どんな文脈で使われているにせよ、目標を達成する、何か行動に出る、物事を迅速《じんそく》に処理する、問題を解決するといった積極的な能力を念頭に置いているはずです。

「ネガティヴ・ケイパビリティ」に、そういう押しの強さはありません。「消極的能力」と訳されることもあるほど、押しの弱い能力だからです。ミスマッチな言葉の組み合わせで面白いですよね。「ケイパビリティ」（能力）という言葉には積極的なニュアンスがあるのに、それが「ネガティヴ」（消極的）と結びついている。

「押しの弱い能力ってどういうこと?」という疑問は当然浮かぶでしょう。しかし、この言葉のニュアンスを理解することは難しくありません。ネガティヴ・ケイパビリティは、物事を宙づりにしたまま抱えておく力を指しています。つまり、謎や不可解な物事、問題に直面したときに、簡単に解決したり、安易に納得したりしない能力です。説明がすぐにはつけ難い事柄に対峙したとき、即断せずにわからないままに留《とど》めながら、それへの関心を放棄せずに咀嚼《そしゃく》し続ける力だと言ってもいいでしょう。

これを読んだ途端に、「へぇ！　大事なことやんか」と即座に結論づけた方もいるかもしれませんが、そう単純には行きません。日々の仕事の中で、友人関係の中で、家庭でのやりとりの中で、こうした「ネガティヴ・ケイパビリティ」を養い、発揮するだけの余裕を失っているかに思えるからです。

仮説思考やロジカルシンキングの対極

社長肝いりの企画を進めることになっているとしましょう。その企画の会議に参加しているけれども、どうにも方向性がとっちらかっていて、このままではよくないなと感じながらも、それがうまく言語化できません。どうにか成功させなければならないのに、どうにも不安です。

周囲の同僚の表情を見ていても、やる気にみなぎっているし、チームリーダーの采配《さいはい》も悪くなさそうです。出てくるアイディアやそれを支えるデータも別に問題なさそうに見える。ただ、同じような漠然《ばくぜん》とした不安を抱えているチームメンバーが他にもいました。しかし、いくら考えても理由がわかりません。

ふと、先月読んだビジネス書に「企画にはデザイナーを巻き込みなさい」と書かれていたことを思い出し、口に出します。

「あ、これこないだ読んだ本で見た駄目な会議にむっちゃ似ていると思う。デザイナーって、調整が得意だし、考えをグラフィックに落としてくれるから、企画にいるといいんだってさ」

「いいかも！」

「デザイン部の人が、グラフィックレコーディングできるって言ってたよ」

「ちょっと相談してみようか」

あれよあれよと、現状が把握され、対策がとられ――――。


これは私の知人が体験したことなのですが、こういうスピード感のある展開は珍しいものではなく、ビジネスにおいて悪いことでもありません。ますますスピードが要求される加速社会を生きる私たちにとって、とりあえず「これだ」と結論づけて、事を片づけてしまうことは、避けられないように思えます。実際ビジネスには、「仮説思考」や「ロジカルシンキング」など、迅速な対応や判断を支えるフレームワークがたくさんあります。

デザイナーを巻き込んだことで企画がうまく回ったかどうかは、本書の関心からすれば、どちらでもいいことです。注目に値するのは、チームメンバーたちがどうにも不安な状態についてもう少し注意深く観察したり、あれこれ会話を交わしてみたりするのではなく、早々に現状を定義し、その解決策を決定したことです。

つまり、この事例においてネガティヴ・ケイパビリティは発揮されていません。ネガティヴ・

ケイパビリティは、加速する社会が失いがちな能力、個人が何とか自分の業務や生活を回していく上で後回しされがちな能力だということを確認しておきたいと思います。

問題や謎が大きいときほど、立ち止まる力が大切になる

先ほどの企画会議と同じようなことが、世界を揺るがすような事件があったとき、相容れない政治的立場の人に出会ったとき、すごく腹立たしいツイートが回ってきたとき、部下や同僚が信じられない失態をしでかしたとき、自分や大切な人が事件に巻き込まれたと知ったとき、友人が自分の信頼を裏切ったと感じるときにも起こるはずです。そういうとき、私たちは、早々に現状を理解し、性急に判断し、早期に結論へ至り、迅速に課題を解決しようとします。

学校、政治、家庭、企業の中で目立った成果を上げるには――その小さな世界で「一番」になるには――、こうした積極的で素早い情報処理や実践が有効でした。しかし、ネガティヴ・ケイパビリティは、こうしたことを徹底して遠ざけようとします。

この言葉を作った詩人であるジョン・キーツ自身の説明を借りましょう。キーツによると、ネガティヴ・ケイパビリティとは、「事実や理由に決して拙速《せっそく》に手を伸ばさず、不確実さ、謎、疑いの中にいることができるとき」に見出せる能力です（H. E. Rollins, ed., *The Letters of John Keats*, Cambridge University Press, vol. I）。

「拙速に」と訳した"irritable"は、関西弁風に言えば「いらち」のことだと考えればいいと思います。素早く選択肢や判断に飛びつくような、我慢のない短気な状態を指す方言です。加速社会

は、そこを生きる個々人に「いらち」であることを求める社会だと言ってもいいでしょう。
曖昧《あいまい》で見通しがたく、しかし説明を要するような謎を前にしたとき、「事実や理由に〝いらち〟になって手を伸ばす」感覚には誰しも心当たりがあるはずです。わかりにくい説明とわかりやすい説明なら、あるいは、前提知識のいる学習と前提知識のいらない学習なら、多くの人は後者を好むはずです。

長い動画と短い動画、修了まで長期間を要する研修と一回で終わる研修、難解で頭に「？」の浮かぶ映画とドンパチするだけのスカッとした映画、一つの事件の意味を数時間かけて理解しようとするシンポジウムと事件を三行でまとめているネットニュース、歯切れの悪い専門家と「絶対これが正しい」と断言する専門家、何十冊も読む必要のある大学の教育課程と『一冊でざっとわかる大学四年間の○○学』という本——。このリストをいくらでも長くすることはできますが、たいていの人は、特に理由がなければ後者を好むと思います。忙しく働き、生活を営《いとな》みながら、モヤモヤしたもの、難しいもの、消化しづらいものを抱えていては、素早く次のアクションに移ることができないため、この選択に不思議はありません。

誰もが「いらち」のように振る舞わざるをえない社会にあって、ネガティヴ・ケイパビリティは素直に望みがたい能力になっているようです。しかし、取り組むべき問題や謎が複雑かつ巨大であればあるほど、即断即決せずに物事をどこまでも探索的に知覚しながら、その核心にあるものを自分なりに見定めようとする、曖昧で不確実な時間を過ごすことが大切になってくるのではないでしょうか。

社会に「よどみ」が増えれば、少し生きやすくなる

リスクや不確実性に満ちた社会を渡り歩くために、大半の人は余計な時間やコストをかけることを避け、身軽で即断即決のスッキリした生き方、悩みや疑いなどないスピード感ある生き方を追い求めています（東畑開人《とうはたかいと》『なんでも見つかる夜に、こころだけがみつからない』新潮社）。そういう流れに抗して、私たちはこの本で「ネガティヴ・ケイパビリティ」の価値を訴えようとしています。

わざわざ立ち止まってモヤモヤした状態でいるための力を再評価する本書の試みは、濁流《だくりゅう》の中に「よどみ」を作るような仕事だと言えるかもしれません。それは、普段通りの素早く身軽な生き方を求める人にとって、自分の動きを邪魔する愚かで目障《めざわ》りな振る舞いに見えるかもしれません。本書を読んでいて、「お前、問題をわざわざ難しくしていないか？」と言いたくなってくる人もいるでしょう。

しかし、激しすぎる流れの中で、魚やその他の水生生物は暮らしを営むことができません。魚などが暮らしやすい環境には、「よどみ」があります。水生生物が住まう上で大切な要素の一つが、実は「よどみ」を生み出すような地形や水草なのです。そう聞くと、「よどみ」のイメージが変わってこないでしょうか。

水生生物の生態系と同じことが、人間の生態系にも言えるはずです。何事も変化し続ける社会において「よどみ」は、時代遅れで、回りくどく、無駄なものに見えますが、そういうものがな

ければ、私たちは自分の生活を紡《つむ》ぐことに難しさを感じるものです。逆に言えば、この社会に「よどみ」が増えれば、前よりも少し過ごしやすくなります。

ネガティヴ・ケイパビリティは、みんなが同じ方へとずんずん歩いていく中で、それとは別の道のことを考えることです。話が付いたはずのことから、わざわざ疑問や問いを読み取り続けようとすることです。自分が得ていたはずの「正解」を喜んで手放すことです。立ち止まるべきタイミングで動いたり、動くべきタイミングで立ち止まったりすることです。すらすら話すことが期待されるときに、「でも……」と口ごもることです。世間的には結論扱いされている議論の先を考えることです。つまりは、ああでもなければこうでもないと探索的に思考することです。

社会がこればかりでは困ってしまいますが、それでも、こういう立ち回りを許容する場所が乏しいと、社会の側も軋《きし》みをあげることになるのではないでしょうか。「無駄」に思えるものが次々と失われた社会では、その分選択肢を想像する余地がなくなるので、社会が提示できる行為や想像、言葉のレパートリーがやせ細っていくのではないかと思うのです。逆に言えば、こういう「よどみ」が増えれば、漠然と生きづらさを感じている人がほんの少し息をつきやすくなったり、落ち着きなく過ごしていた人が問題の核心をじっくり見定めるだけの余裕を持つことができたりするかもしれません。

読者の一人でも多くに、ネガティヴ・ケイパビリティの重要性を実感してもらい、私たちの「思考する共犯者」になってもらうことが、本書の目的の一つです。その結果として、この社会に「よどみ」がわずかでも増えるとすれば、私たちは役割を果たしたということになります。

物語作家・シェイクスピアと村上春樹の秘密

そもそも、キーツはどんな文脈でこの言葉を使ったのでしょうか。彼は弟宛ての書簡で、文学で並外れた作品を生み出した者は、みんなこの能力を持っていることに気づいたと書いています。その代表格として名前が挙げられるのが、『リア王』『ハムレット』『ロミオとジュリエット』などで知られる劇作家のウィリアム・シェイクスピアです。

シェイクスピアの使った言葉が、（いくらか意味を変えつつも）数多く現代英語の慣用表現として残っていることからして、その存在感の大きさを窺《うかが》い知ることができます。個人的に驚いたのは、ビジネスや学習などさまざまな文脈で使われる「アイスブレイキング」という言葉が、彼の喜劇『じゃじゃ馬ならし』に由来するということでした。現代のボキャブラリーを形作るほどの影響力があるわけですから、文学者であるキーツがシェイクスピアにこだわるのも頷《うなず》けます。

不可解な出来事、登場人物の不合理な行動、わかるようなわからないような設定などが絶妙なバランスで組み合わされ、意味深な台詞とともに彼一流の物語は展開されていきます。物語世界を構成していくためにシェイクスピアが置いた謎や不思議は、明快な説明が与えられることなく進み、物語は終わりを迎えます。なめらかな物語の展開とは別に、そういう「よどみ」があるからこそ、シェイクスピアの劇は、読者の中で意味が自由に膨らんでいく余地を持っているのです。

時代はぐっと現代に下りますが、小説家の村上春樹《むらかみはるき》さんが不思議な要素や展開を物語に落とし込むことができる力についてインタビューで語っています（村上春樹・川上未映子《かわかみみえこ》『みみずくは黄昏に飛びたつ：川上未映子訊く／村上春樹語る』新潮文庫）。

村上　小説を書いていると、いろんなものが出てくるじゃないですか。バットだとか、騎士団長だとか、鈴だとか、いろんなものが次々に出てくる。それは脈絡もなくフッと出てくる……。それが何を意味するかとか、いちいち考えている余地はないですね。（中略）

――自分で解釈したり納得したりすることは、まったくない？

村上　ない。頭で解釈できるようなものは書いたってしょうがないじゃないですか。（作者にとって）物語というのは、解釈できないからこそ物語になるんであって、これはこういう意味があると思う、って作者がいちいちパッケージをほどいていたら、そんなの面白くも何ともない。読者はガッカリしちゃいます。作者にもよくわかっていないからこそ、読者一人ひとりの中で意味が自由に膨らんでいくんだと僕はいつも思っている。

作家はさまざまなモチーフを物語に取り込み、それを展開に絡《から》めていくけれども、そのモチーフの意味を探るのは読者の仕事であって、作家の仕事ではない。これは、先ほどのキーツに通じる指摘です。

安易に物事の説明をつけずに、その状態に留まっているのは意外に難しいことです。たとえば、家の外から普段耳にすることのない異音が聴こえてきたなら、「こういうことがあったんだろう」と適当な説明をつけて安心しようとするはずです。こんな些《さ》細《さい》なレベルでもネガティヴ・ケイパビリティを発揮することが難しいことから察せられるように、私たちの生物としてのありようからして、謎を謎のまま放置することが生来《せいらい》難しいのではないかと指摘する人もいます（帚木《ははきぎ》蓬生《ほうせい》『ネガティブ・ケイパビリティ：答えの出ない事態に耐える力』朝日選書）。

にもかかわらず、優れた物語作家たちは、不思議な出来事や人物に囲まれた先行きの見えない状況で、じっくり変化や兆《きざ》しに耳を澄ませ、目を凝《こ》らしながら、謎に満ちた世界を歩き回ることができました。見通しがたく変化に満ちた世界を生きる上で必要な姿勢がここにありそうです。

誰でも必要なネガティヴ・ケイパビリティ

興味深いことに、対象からどこまでも終わりなく問いや謎を読み取ろうとする姿勢は、文学者以外の人物に再び採り上げられます。それは、ウィルフリッド・ビオンというイギリスの精神分析家（ジークムント・フロイトに始まる精神分析理論に基づいて心の治療をする人）です。

ビオンは、キーツのネガティヴ・ケイパビリティを精神分析家が持つべき能力として再解釈しました（*Four Discussions with W. R. Bion*, Clunie Press など）。世界大戦への従軍経験から、戦場と治療現場は似た構造をしていると考え、ネガティヴ・ケイパビリティを「砲撃の下で考える」と表現したこともあったようです（L. Brown, "Bion's discovery of alpha function" *The International Journal of Psychoanalysis*, 93（5）, 2012; cf. N. Glover, *Psychoanalytic Aesthetics*, Phoenix Publishing House）。イメージが浮かびやすい後者の表現をもとにビオンの議論について掘り下げてみましょう。

戦場は計り知れないほどのリスクで満ちています。いつどこで何が起こるかわからないし、何かが起きたとして、自分がそれに対してどんなアクションを取るべきかについて、正解は明確ではありません。それと同じように、セラピーの現場では、心という計り知れないものを扱う以上、専門家たる分析家でも見逃している要素があるかもしれず、したがって、患者と自分の心が次の瞬間にどう動き、どう表現されるかといったことの一切が不透明です。

セラピーの場において、精神分析家は、患者の仕草や言葉を見通すように完全に理解できると考えるべきではありません。「こうに違いない」と結論づけ、患者についての最終的な理解を得たと思った途端に、その理解からこぼれ落ちるような事実を見落とすことになりかねないからです。ビオンが語っているのは、拙速に結論や理由に飛びついて何かを理解した気になることそのものが、戦場と同様にセラピー現場でもリスクになるということです。

要するに、「これで大丈夫なのだろうか」と自分を疑い、不確実性や謎にまみれていることが精神分析家にとって大切です。こういうヒリヒリした状態に置かれた精神分析家は、見通しがたい状況を前に、より深く本質に迫ろうとする姿勢、つまり、自分の理解をどこまでも何度でも書き直す姿勢を持っています。

たいていの読者は、戦場にいるわけでも、精神分析家でもないでしょう。でも、不確実性と不安にさらされ、見通しの悪さゆえに明確な解釈を持つことができず、あるいはそうするべきでもない状況を生き、情報や刺激の濁流にさらされ続けているという点では共通しています。これは、不透明な時代を生きる現代人の指針になりそうです。

ネガティヴ・ケイパビリティは誰にとっても大切だという見解は、私が一人寂しく主張しているわけではありません。作家で精神科医の箒木蓬生さんもまた、性急に結論を出さずに棚上げすることの持つ創造性を強調しつつ、ネガティヴ・ケイパビリティの重要性について論じています（箒木『ネガティブ・ケイパビリティ』）。誰かの経験の本質に迫ろうとするには、簡単に答えを出さずにいる態度がどうしても必要になるということです。

このように、謎や不確実性と戯《たわむ》れることを進んで受け入れるネガティヴ・ケイパビリティ概念は、それ自体が一種の謎や神秘となって人々を惹きつけながら、イギリスのキーツからビオンを経て、現代日本の帚木さんに至るまで、さまざまな人の再解釈を生み出してきました。実は、私もその一人としてこの系譜に連なっています。

スマホ社会のネガティヴ・ケイパビリティ

哲学者である私、谷川嘉浩は、キーツをはじめとするロマン主義が研究範囲に該当していたり、別の研究で扱っていた鶴見俊輔《つるみしゅんすけ》という哲学者がネガティヴ・ケイパビリティについて語っていたり（『日本人は何を捨ててきたのか：思想家・鶴見俊輔の肉声』ちくま学芸文庫）したので、この言葉に親しさを感じる素地を持っていました。

そういうこともあって、株式会社インフォマートのウェブメディア「Less is More.」で取材を受けたとき、私はネガティヴ・ケイパビリティについて語りました。他にもさまざまな話をしていますが、関係する箇所だけまとめると、だいたいこんな感じです。

〈スマホをはじめとする相互接続可能なデジタル端末を一人で複数台持つのが当たり前の時代にあって、それぞれの端末で、複数の娯楽やコミュニケーション、仕事などを並行して進めることは珍しくない。もちろんそこに、対面的なやりとり、感情や情報の処理なども加わり、ますます多忙な環境を現代人は生きている。そんな中で、説明がすぐにはつけがたい事柄に対峙して、わからないままに留めておく能力、つまりネガティヴ・ケイパビリティを持つことが大切だが、テクノロジーはこの力を奪い続けているところがある。〉（「常時接続で失われた孤独。あるいは「長い思考力」。哲学者・谷川嘉浩氏インタビュー。」Less is More.by info Mart Corporation https://note-infomart.jp/n/n17714ca0a25a　このトピックについては、拙著『スマホ時代の哲学：失われた孤独をめぐる冒険』で、より詳しく論じています）

このインタビューを読んで、ネガティヴ・ケイパビリティに興味を持ち、さくら舎の編集を務める松浦早苗さんが連絡をくれたことが、この本のなりたちです。ネガティヴ・ケイパビリティについての本にしようということになったものの、「ネガティヴ・ケイパビリティを語ること」には特有の厄介《やっかい》さがあります。というのも、「モヤモヤしたものも大事だね」みたいな「いい話」は、「あーわかるわかる」「そういうのって大事よな」という、わかりやすい落とし所に投げ入れられがちだからです。

しかし、安易に分類ラベルを貼って、適当な引き出しに入れてしまう手つきほど、ネガティヴ・ケイパビリティから遠いことはないはずです。ありがちな「いい話」にしないために、安直な思考や言葉を落とし所にしないために、本書もまた、用意された「いい話」に向かわない工夫が必要だと直観しました。

その工夫こそ、「思考する共犯関係」を結ぶことです。自分の頭だけでなく、他人の頭も使って考えることで、ああでもなければこうでもないと、どこまでも新しい扉を開き続けるような探索的な思考が可能になるだろうと期待したのです。対話を終えてみて、それは間違いない直観だったと考えています。

対話者たちの紹介

私、谷川嘉浩は、『信仰と想像力の哲学：ジョン・デューイとアメリカ哲学の系譜』（勁草書房）や『鶴見俊輔の言葉と倫理：想像力、大衆文化、プラグマティズム』（人文書院）を著《あらわ》した哲学者であり、社会学の本の翻訳なども行っています。企業との協業経験も多少あるだけでなく、現在は京都市立芸術大学のデザイン科に所属する教員として、作品制作の実技指導をするという珍しい境遇に置かれています。『スマホ時代の哲学：失われた孤独をめぐる冒険』（ディスカヴァー・トゥエンティワン）という一般書も出しました。

私の思考の共犯者になってくれたのは、朱喜哲《ちゅひちょる》さんと杉谷和哉《すぎたにかずや》さんです。順に紹介しましょう。

朱喜哲さんは、哲学を修《おさ》めた研究者であると同時に、広告代理店に勤める会社員です。哲学・倫理学などとビジネスの架橋《かきょう》、あるいは共同研究にも力を割《さ》いており、大阪大学社会技術共創研究センター招聘《しょうへい》教員を務めています。朱さんは、私と近いアメリカ哲学をフィールドとする哲学者ではありますが、そこで培《つちか》った言語哲学の知見を応用して、陰謀論やヘイトスピーチ（差別的言動）に関する研究なども行っています。また、共編著で『世界最先端の研究が教えるすごい哲学』（総合法令出版）という一般書を刊行しています。

杉谷和哉さんは、『政策にエビデンスは必要なのか：ＥＢＰＭと政治のあいだ』（ミネルヴァ書房）を公刊した公共政策学者で、現在は岩手県立大学総合政策学部の講師を務めています。哲学ほど耳に馴染《なじ》んだ名前ではないとは思いますが、公共政策学は、政治学や経済学など複数分野の知見や手法を組み合わせ、国や自治体などで政策が形成されるプロセス、あるいはその仕組みについて論じる分野のことです。杉谷さんが専門とするのは、その中でも「科学的根拠（エビデンス）に基づいて政策を作る立場」についての研究です。ただし、その関心を専門分野に限定せず、哲学や社会学などの周辺分野はもちろん、現代日本の政治や身の回りの出来事への注目を欠かさない研究者でもあります。

この三名で、「陰謀論とナラティヴ」「アテンションエコノミー」「徳とプライバシー」をキーワードに、ネガティヴ・ケイパビリティの魅力と実践可能性を掘り下げる三回の対話を収録しました。それぞれの対話のイントロダクションとして、私がキーワードに関連することを話しています。

これは単なる会話の呼び水であって、対話の範囲を縛《しば》るものではありません。たとえば、三回目のイントロで扱った「徳」という話題は、多少掘り下げられる程度ですし、一回目のイントロで話した「ナラティヴ」（物語）という論点は、一回目ではさほど扱われないものの三回目で深く論じられる、というように、対話はかなり自由に展開されます（代わりに、拙著『スマホ時代の哲学』で非エリート主義的な徳の可能性を論じました）。イントロは、対話前のアイスブレイキングくらいのつもりで軽く捉えてください。

対話は自分の能力以上の力を発揮させる

この本で私たちが行っているのは、教育、情報技術、政治、データビジネス、倫理・哲学、陰謀論、ファシリテーション、アニメ、ドラマなど、通常は別個に扱われるさまざまな分野の出来事やトピックを重ね合わせ、その相似性を明らかにしつつ、現代社会の潮目や変化を読み解き、それに対する処方箋《せん》を考えていく対話です。

私たちの対話は、自分でも答えが見えているわけではない論点を残りの二人に投げかけ合うことで進んでいきます。その雰囲気について、杉谷さんは「二人から受け取った知恵の輪を解いた上で、もっと難しくした知恵の輪を投げ返す、みたいなことの繰り返し」だと語ったことがありますが、本当にそういう感じです。しかし、私たちが知恵の輪をほどいては、新しい部品を足して組み直すことで、議論の流れを多角的で複雑にしていくという手順を採用したのは、この世界が実際に複雑である（簡単に断言できる類の把握だけではどうにもならない）という事情に由来するものです。

話題を振っている時点では、どんな答えが返ってくるのかについて特段予想を立てないものの、漠然とした信頼はあります。どんな謎でも、この三人で話していれば、そのうち「おっ」と思うような切り口で話が拡がり、話が深まるうちに適切なキーワードに収斂《しゅうれん》して見通しがよくなり、次第に思いもよらない場所に通じていくのだろうという信頼です。信頼に支えられた対話は、自分の能力以上の力を発揮させてくれます。信頼し合う関係で展開される全力の対話は、どんな映画や音楽も敵《かな》わないくらいサスペンスフルです。こんなスリリングな体験は、他では味わえません。

アンディ・クラークという認知哲学者は、この感覚にぴったりくる言葉を与えてくれています。クラークは、人間の能力を「脳」単体で捉えるアプローチに反対し、状況や環境との相互作用の結果として脳のパフォーマンスを捉えるべきだと主張します。彼が提示するのは、具体的な「身体状況」に置かれ、「物理構造や社会構造からなる複雑な世界と相互作用している脳」という見方です（『現れる存在：脳と身体と世界の再統合』ハヤカワ文庫）。

暗算では難しくても、紙とペンがあれば膨大な桁数の計算を瞬時かつ正確に終えられるように、私たち人間は、自分の外側にあるものによって生物学的な脳の問題解決能力を「はるかに凌駕《りょうが》することができ」ます。私たち人間は、こういう足場があるから遠くまで手を伸ばせるわけです。もちろん、自分の外側にある能力の足場には他者も含まれています。

同じことを、朱さんは三回目の対話でこう表現しました。

三者でしゃべっている私に対して、「こういう言葉がしゃべりたいんだ」「あのときに語り合った言葉が自分にとって大事だった」と思ったりするとして、この直観や判断が成立するためには、谷川さんや杉谷さんが必要不可欠になっている。だから、私のボキャブラリーが、まさに他者に依存しているんですよね。

『闇の自己啓発』を引き合いに語った「思考の共犯者」「思考の共犯関係」とは、互いの足場となってパフォーマンスを高めてくれる関係性のことです。思考の共犯者となって対話する私たち三名は、互いにとって、自分の問題解決能力をはるかに凌駕する成果を上げるのに欠かせない足場なのです。

浮世離れしていると見られやすいアカデミアの人間が、現実社会とがっぷり四つに組みながら、この時代や社会の本質へとじりじり迫り、そこに必要な力としてのネガティヴ・ケイパビリティの輪郭を描き出していく知の饗宴《きょうえん》。そこで展開される議論は、流れを加速させる社会において「よどみ」を作ろうという提案でもあります。丁々発止《ちょうちょうはっし》のやりとりに居合わせた四人目（あるいは編集者に続く五人目）として、本書を楽しんでもらえれば幸いです。

そして、編集者の松浦早苗さん、下読みをしてくれた丸山紗佳さん、文字起こしやデザインなど、その他さまざまな仕方で本書の成立や流通に貢献してくれたすべての方々に謝意を表します。

目次◆ネガティヴ・ケイパビリティで生きる――答えを急がず立ち止まる力

第1章　「一問一答」的世界観から逃れる方法
――陰謀論、対人論証、ファシリテーション

第3章 「アイヒマンにならないように自分の頭で考えよう」という言葉に乗れない理由
――コンサンプション（消費）、アテンション（注目）、インテンション（意図）

第8章　イベントとしての日常から、エピソードとしての日常へ
――観察、対話、ナラティヴ

ネガティヴ・ケイパビリティで生きる——答えを急がず立ち止まる力

一回目の対話——2022/04/04

▼イントロダクション　ナラティヴと陰謀論をめぐって

ナラティヴの特性と、そこから削《そ》ぎ落とされるもの

近年軍事に関わる研究では、「ナラティヴ」（narrative）という言葉がしばしば登場します。直訳すると「物語」です。戦争というと、実際の戦場や軍事作戦が問題だと考えられがちですが、必ずしもそれだけで戦争の全体像を扱えないと考える方が自然であり、そうした視点に立つものの一つとして、「ナラティヴ」に注目する戦争研究があります（T. Kvernbekk & O. Bøe-Hansen, "How to Win Wars: The Role of the War Narrative," in *Narration as Argument*, ed. by Paula Olmos, Springer, 2017など）。

たとえば、アメリカはヴェトナム戦争で、ほとんどの地上戦に勝利しましたが、全体としては明らかに「勝った」とは言えませんでした。反戦運動や従軍兵士のPTSDなど、国内外に大きな波紋と傷跡を生み出したからです。アメリカは、ナラティヴをめぐる戦争で敗北しました。つまり、自国が戦争へと向かい、戦争を進めている「大義」「説得力ある経緯」を魅力的な物語として提示することができず、国民や国際社会を説得しきれなかったのです。

そう聞いて現代の私たちがすぐに思い出すのは、二〇二二年二月にロシアがウクライナに侵攻したのを機に、両国による「ナラティヴ」合戦が行われたことでしょう。私たちはロシアの隣国として、あるいは、人権を尊重する国際社会の一員として、ウクライナ侵攻に無関心ではいられないはずですが、私たちはフラットに出来事を観察しているというより、ゼレンスキー大統領やウクライナの地方首長たち、ウクライナ市民などがＳＮＳなどで発信する情報によって形作られたナラティヴの影響を多分に受けながら、ウクライナ侵攻を見つめているはずです。

「ナラティヴ／物語」をキーワードにするのは、軍事研究だけではありません。精神医療においてもナラティヴアプローチ（マイケル・ホワイト、Ｋ・Ｊ・ガーゲン他編『ナラティヴ・セラピー：社会構成主義の実践』遠見書房）があり、経営学でも宇田川《うだがわ》元一《もとかず》さんが『他者と働く：「わかりあえなさ」から始める組織論』（NewsPicksパブリッシング）などで、対話やナラティヴに注目した議論を展開しています。宇田川さんは一種の組織論ですが、パーパスなどとの関連でこの言葉が使われることもあります（本田《ほんだ》哲也《てつや》『ナラティブカンパニー：企業を変革する「物語」の力』東洋経済新報社）。哲学や社会学には、自己物語論という分野もあります。このように広く影響力を持つ「ナラティヴ」という視点を持って、時代や社会、私たちの生き方を見つめてみたいというのが初回の私の問題提起です。

ナラティヴは、単に魅力あふれるものではありません。一連の研究は、物語が持つ危険性も明らかにしてきました。始まりからある地点に辿り着くまでを、一貫した仕方で語っていくとき、その語りにそぐわないものが語り落とされ、しばしば関心の埒外《らちがい》に置かれてしまうということです。成功した経営者が喜々として語る苦労話、スポーツ選手の成功ストーリーなどを思い出すとわかりやすいでしょうか。現在の成功につながらないと思われたり、語ると都合が悪いと判断されたりした話の「断片」は、物語の外側へと放棄されるのです。

ここでSF作家のケン・リュウの言葉を借りましょう。「コンセンサス２０１９」というイベントでの講演「事実になるフィクション：サイエンス・フィクションと人類の運命」(Fiction Becoming Fact: Science Fiction and the Fate of Humanity) の話です (YouTubeに動画があります)。物語を扱う仕事に就いているからこそ、彼は、物語の特性をよく心得ています。ケン・リュウによると、人間には、起こった出来事について「もっともらしい物語を後知恵的に構築する」癖があります。その結果、ある帰結に至るまでの脈絡を単純化してしまうというのです。

私が言いたいのは、これが生存者バイアスの結果だということです。必然性の物語を組み直し、将来へとつながる思考の手引きとして、その種の物語を用いる傾向を持っているという、物語的誤謬《ごびゅう》(narrative fallacy) の結果なのです。

何かもっともらしい物語に落とし込むことで、過去にあったはずの多様な出来事、ありえたはずの無数の姿を見落とし、忘れてしまう。このことを、ケン・リュウは「物語的誤謬」と呼びました。何かを物語ることがもたらす認知の罠《わな》のことです。

陰謀論のふしぎな真面目さ

「物語的誤謬」の極北として、思い浮かぶものの一つが陰謀論です。陰謀論には、明確で首尾一貫したナラティヴがあり、それに反する情報を当事者たちは受け入れようとしません。陰謀論者のナラティヴには、誤情報や誤った推論が含まれており、それゆえ他の多くの人との間に、現実の軋轢《あつれき》を生み出すこともあります。いくつか具体的な陰謀論を振り返ってみます。

パンデミック下では、反ワクチン団体が「コロナは某国の化学兵器だ」「いやコロナは風邪だ」「いやいやコロナウィルスは存在しない」「ワクチンは人を殺す」「ワクチンで人間が改造される」などとさまざまな（両立しない）主張を掲げてデモを行うだけでなく、ワクチン接種会場に乗り込み、スタッフや医者を罵倒《ばとう》するといった事態まで引き起こしました。

ウェブ掲示板文化から生まれた陰謀論「Qアノン」は、その支持者がアメリカ国会議事堂を占拠（二〇二一年）し、死傷者を出す事態をもたらしたにもかかわらず、今なお力を持っています（政界関係者にも支持者がいるとの報道もありました）。同時期に、Qアノン支持者と重なる形で拡がった「ピザゲート」という陰謀論があります。米民主党はピザ屋を拠点に児童買春を行っているという陰謀ですが、嫌がらせ電話やクレームはもちろん、それを信じた男性が銃を持ってピザ屋を襲撃する事件まで起きました（二〇一六年）。ちなみに、Qアノンは翻訳されて日本国内にも持ち込まれ、「Jアノン」とも呼ばれる集団を形成し、親トランプ・反ワクチンのデモなどを行ったことでも知られています。

要するに、インターネット上に限定されたものではなく、現実の私たちに影響を与えうるものです。認識が人の行動を左右するものである以上、陰謀論的な認識は陰謀論的な行動を導く可能性があります。しかし、これは単に一部の「変わった人」による特異な活動にすぎないのでしょうか。そうとも言い切れないように私には思われます。

陰謀論が力を持つ背景には、二つの感覚があるのではないでしょうか。すなわち、「この世界をよくしたい」「自分は基本的に善良な人だと思いたい」という気持ちと、「この不透明でよくわからない世界を理解したい」「自分には世界を余さず知る力がある」という気持ちです。

世界にはさまざまな陰謀論がありますが、その多くは、「光と闇の戦い」という善悪二元論的な構図を持っており、自分たちを「光の陣営」になぞらえています。自分たちはヒーロー（英雄）で、それに対する敵対者はヴィラン（悪役）だというわけです。陰謀論にコミットすれば、正しくも壮大な物語に参加している感覚を持つことができるでしょう。

加えて、陰謀論は、かなりシンプルな因果関係（誰かが意図してそれがそのまま実現される）を使うことで、ありとあらゆる事件や対立を説明し尽くそうとします。その結果、陰謀論の図式を使えば、世界の多種多様な出来事を限られた線で結ぶことができ、世界を一貫した形で理解した気持ちになれるのです。陰謀論のナラティヴが持つこうした特徴が、先に述べた「二つの気持ち」を満たしてくれています。

「世界を少しでもよくしたい」「わからないことを知りたい」というのは、陰謀論者だけでなく、多くの人が持っている感覚だと思いますし、その感覚に否定されるべきところはありません。陰謀論者に見られるふしぎな真面目さは、容易《たやす》く切り捨てられるものではないのです。陰謀論を馬鹿にして笑い飛ばそうとする姿勢は、こういう真面目さを嘲笑《あざわら》うものであり、陰謀論者とそうでない人々の間の断絶をますます深めることになってしまうように思うのです。

そうはいっても、陰謀論を支持できるわけもありません。陰謀論には、世界の出来事を端から端までわかった気にさせる危うさがあるからです。これは、ネガティヴ・ケイパビリティからほど遠い姿勢です。しかし逆にいえば、対極にも思える陰謀論について考えることで、その陰影としてネガティヴ・ケイパビリティについて重要なことが浮かび上がると期待できるかもしれません。

（谷川嘉浩）

第1章　「一問一答」的世界観から逃れる方法
――陰謀論、対人論証、ファシリテーション

何が良くて何が悪いかを判断する基準はもはやない

谷川　なぜ最初のテーマを「陰謀論」にしたのかについての背景から話したいと思います。二〇二〇年一一月にあったアメリカ大統領選挙の直前に東京大学主催のシンポジウムを企画したのですが、杉谷さんとはそこで大統領選挙に関する「分断」と「陰謀論」をめぐって議論を交わしたんですよね。覚えていますか？

杉谷　もちろんです。

谷川　さらに、朱さんは青土社の『現代思想』二〇二一年五月号の特集「『陰謀論』の時代」に寄稿されています（「陰謀論の合理性を分節化する」）。なので、私たちが会話を始めるにあたってぴったりのテーマだと思ったんですね。いずれの議論も、アメリカに始まる陰謀論であるQアノ

ン、アメリカ大統領選挙（二〇二〇年一一月）での選挙不正のデマやフェイクニュースの流布、アメリカの国会議事堂の占拠（二〇二一年一月）、それから、新型コロナウィルス（二〇一九年一二月－）に関連するデマ等々を念頭に置いたものでした。

　しかし、これだけではありません。この対話を収録している二〇二二年四月現在、ロシアによるウクライナ侵攻でも、プロパガンダ合戦があり、そこにもさまざまな陰謀論の萌芽《ほうが》があります。もちろんロシアが戦争犯罪やジェノサイドを起こした悪であることは自明の前提とした上での話ですが、どちらの陣営も、自分や相手をどのようなものとして見せたいかというPR合戦、つまり、印象操作を行っている。情報操作や情報統制、プロモーションが行われている。戦争において「ナラティヴ」は重要なので、当然といえば当然のことです。この情報の見せ方の偏りに、陰謀論が生まれる火種があるわけで、いつの時代も他人事ではないなと改めて感じさせられます。

　さて、杉谷さんから口火を切ってもらえますか？

杉谷　何か現実と齟齬《そご》があることについての語りそのものが問題ではない、ということは一つ押さえておきたいところですよね。私や谷川さんと同じ大学院の先輩に当たる研究者に、百木《ももき》漠《ばく》さんという方がいます。ハンナ・アーレントという哲学者を扱っている方ですが、この方が『嘘と政治：ポスト真実とアーレントの思想』（青土社）という本を書いているんです。アーレントによると、政治における嘘というのは、必ずしも悪いものではないと。たとえば、人権宣言って、ある種の嘘なんですよね。宣言が出された当時、人権がみんなにあったわけではないですから。ただ、そういった嘘をつくことによって、社会をより良い方向に更新していく、社会をより良い方向に持っていったことは間違いない。そういう駆動力を持っている嘘があると。

谷川　理念は現実と距離があるので、現実を相対化してより良い方へと人を駆り立てる力がありますよね。そこには私たちの想像を掻き立てる力もある。「統制的理念」と哲学では呼ばれるものですが、あれも一種の嘘と言えなくもない。

杉谷　そうそう。一方で、ドナルド・トランプがSNSでぶちまける滅茶苦茶な嘘とか、ヘイトスピーチをする人たちが前提にしているデマのような、許されない差別や暴言もあるわけです。こういった嘘と、百木さんがアーレントを通じて評価したような嘘の違いはなんなのかということになるわけですが、その結論はシンプルなんです。事実を大事にしましょう、と。ハンナ・アーレントが言うには、「真理は我々が立つ大地であり、我々の上に広がる天空である」。ファクトやトゥルースは大事だという結論なんですね。

正直言ってこの結論を読んだとき、これでいいのかなと思ったんです。だって、真理であることを誰が決めるのかという問題が残りますよね。それがファクトかどうかは、学者やジャーナリストがちゃんとチェックしていくことが大事で……という話を百木さんはしている。それは本当に大事なんです。しかし、この結論は煎《せん》じ詰めれば、「善《よ》い嘘と悪い嘘があって、善い嘘ならいいけど悪い嘘は駄目だよ」という話なんですね。そんなことはわかりきってる。そうじゃなくて問題は、何が良くて何が悪いかを判断する基準がもはやないということにあるのではと思うのです。

朱　ファクトチェックをする専門家の権威が疑われているわけですからね。あいつらには現実が見えていないだとか。ファクトを保証するシステムそのものが疑われている。

谷川 専門家やジャーナリスト目線だったり、そういう人をあらかじめ信頼している人の目線だったりすると、「善い嘘はいい、悪い嘘は悪い」でいいですよね。でも、専門家を疑っている人や、誰を信頼していいか明らかでないと感じている人からすると、正しさを保証する「専門家」ってどういう基準で見つけるの？ って話になる。

杉谷 ただ、ここまで『嘘と政治』の結論を悪く言いましたけど、実は百木さんの言っていることもよくわかるんです。というか、そうとしか言いようがない。争うことのできない事実は当然ある。意味不明な推論や思考もある。許容できない嘘もある。陰謀論を退けるには、そうとしか言いようがないというのもよくわかるんです。ひょっとしたら、アーレントも百木さんも、このジレンマに直面した上で、あえて真理の大切さを訴えているのかもしれない。

エビデンスや真理から合理的な解決は導けない

杉谷 一人で話しすぎかもしれないけど、もう少し話を進めさせてください。百木さんと同じハンナ・アーレントの研究者に阿部齊《あべひとし》という人がいるんですね。阿部さんは、アーレントや、谷川さんの研究しているジョン・デューイの訳書なんかもありますね。

朱 アーレントなら『暗い時代の人々』（ちくま学芸文庫）とかですね。デューイなら『公衆とその諸問題：現代政治の基礎』（ちくま学芸文庫）。

杉谷　その人が、「社会工学的思考と現代社会」（『世界』四四六号、一九八三年）という論文を書いていたんです。これまでの話に関係してくるんですよ、これ。結論から言うと、科学的に言って正しい答えがあるに違いないという視点から、社会工学的に物事を合理的に解決していくというのは結構危ないんじゃないかという話です。単に合理性とかだけじゃなくて、批判的な視点が社会科学には必要なんだと。そういうことが書かれているわけです。

朱　科学が保証するとされる事実や真理から合理的に解決を導けるのかどうかと。

杉谷　それは政策研究の歴史とすごく重なっているんです。イントロダクションでは、谷川さんがヴェトナム戦争の話をされましたよね。あれを指揮していたアメリカの政権の当時の幹部がロバート・マクナマラという人です。アメリカに関わる研究をしているお二人はよく知っていると思いますが。

で、このマクナマラさんという人はめちゃくちゃ統計ができる人だった。数理分析とかで「ヴェトナム戦争は今こうなってて、兵力をこう投入すればいけるに違いない」という風にやっていた。実際、地上戦では勝っていたけれども、ニュースなどで流れてきたのは北爆（北ベトナム爆撃）によってすごく傷ついた子どもたちの姿だったりする。そういうイメージが流通して人々の心に訴えたときに、「何をやってるんだ、アメリカはこんなことじゃ駄目だ」ということで反戦運動が起きて、結局マクナマラは失脚した。

この辺りをきっかけとして、合理的な問題解決だけでは駄目だということで政策研究には「批判理論」と呼ばれる新しい潮流が力を持ってきます。社会科学における批判的な視点、つまり、「合理性だけではいけない」と引いて見ることを大事にする立場ですね。テクノロジーというのは本当に私たちの生活を豊かにするんだろうかとか、そういったことを考える議論が台頭してくるんです。

このことを踏まえて、先ほどの阿部さんの議論を振り返ってみたい。そうすると、合理的な問題解決とか、真理を大事にすることは、もちろん大事なんだけど、果たしてそれだけでいいのだろうか、という疑問が出てくるわけです。政治って、そもそも価値観がかなり関わっているはずであって、そういった価値観をしっかりと吟味して批評できるような立場——それが「批判」ということですが——これが本当は大事なんじゃないかと。

阿部さんは、アーレントを引用して、百木さんとは少し違う結論を出しているように見えます。もちろん、国交省の統計改竄《かいざん》（二〇二一年一二月）のような基本的な事実の軽視はたまったもんじゃないですが、エビデンスや統計的事実、真理が大事だ、というだけで話は済まないですよね。

谷川 国会議事堂占拠を促すようなことまで言って暴力を扇動したということで、各種SNSのアカウントを停止されたトランプって、今は「トゥルース・ソーシャル」って自前のSNSを作って使っているんですよ（対談収録後の二〇二二年一一月にイーロン・マスクによってツイッターアカウントが復活した）。専門家や合理的な思考だけが「真理を握っている」と語っているわけではなくて、陰謀論者やフェイクニュースの実践者も「自分たちが真理を持っている」と語っている。

杉谷 シンプルな事実重視の立場には、私がどうしても乗れないのはそこなんです。

陰謀論者は民主主義の申し子？

杉谷　私がずっと気になってるのは、陰謀論者がメディアを疑って、自分自身で情報を集めて、すごく自分の頭で物事を考えている人たちだということです。イントロにも「真面目さ」の話がありましたけど。それって、やっぱり私たちが理想としてきている民主主義が前提とする「市民」のイメージとすごく重なる。陰謀論者って、民主主義そのものじゃないかと思うわけです。

谷川　自分で調べてどれがファクトかどうかを自分で吟味した結果として、コロナは某国の生物兵器だ、コロナは存在しない、ワクチンで5Gに接続できる等々の発想に至っている。「自分の頭で考える」というのは、市民社会だけでなく、学校や企業においても美徳とされていることですよね。ブログなどのサービスが出てきた頃に描かれた「みんなが発信者になる」というWeb2.0の夢が、分断や中傷、陰謀論やデマ、ネットワークビジネスに満ちた社会をもたらしたように、良さそうなフレーズを口にするだけでは仕方がない。「発信」の中身や方法が大切であるのと同じで、「調べる」や「考える」の中身や方法が大切なんですよね。

杉谷　調べる、考える、事実を重視する——そういった特徴では、陰謀論者とそうでない人を分けられない。民主主義でみんな自分の頭で考えて行動してねという建前を採用している以上、日本であったように、ワクチン会場に乗り込んで「ワクチンを打つお前たちは殺人犯だ、わかってるのか」と、もちろんノーマスクで叫ぶ人が出てくる。これは、市民社会の避けられない帰結のようにも見えるんです。ちょっと長くなりましたが、私が最近陰謀論について考えてるのはそんな感じです。

谷川 自分で調べて考えて、いろいろ考えた末に陰謀論やデマ、あるいは差別的で極端な思想に至っている、その「市民としての真面目さ」みたいなものは、大事なポイントだと思います。多くの人が思っているのと違って、陰謀論者って、かなり積極的に情報を取りに行く、勉強熱心な人なんですよね。あれこれ考えているし。だから、「陰謀論は世界を単純に説明するが、現実は複雑だ」というタイプの陰謀論批判に、私は強く違和感を覚えるんです。よくある批判ですが。

朱 なるほど。

谷川 たぶんQアノンがわかりやすいと思うのですが、彼らが共有している概念のチャートがあるんです。Qアノンウェブ（49ページの図）ってご存じですか？ 曼荼羅《まんだら》みたいにキーワードが並んでいてゾワッとするんですけど。それくらいには複雑さがあります。

朱 見たことあります。

谷川 Qアノンのキーワードが矢印で結ばれているんですが、矢印がどういう意味なのか、近い言葉同士がどういう関係なのかは説明しない。キーワードも多そうだし、矢印もわけわからないし、かなり複雑そうに見えるんです。実際には、高校や中学レベルの世界史のキーワードよりはるかに少ないし、因果関係の想定も単純であることは確かです。でも、一見情報量が多そうだし、解くべき謎があるように見える。

杉谷　確かに、教科書なんかの索引に出てくるキーワードよりはるかに少ないですね。

谷川　ほんとに。この図のポイントは、関係あるキーワードの羅列《られつ》が「謎」や「問い」として示されていて、これを見た者は、能動的にこの図に参加して、読み解かないといけないようになっていることです。近い言葉同士が特定の因果関係や推論を暗示していて、キーワードを一つ一つ検索すると、陰謀論の全体像が見えてくる。陰謀論的なマインドを的確に表現した言葉としてしばしば持ち出される、"Trust, but Verify" というフレーズがあって、「無条件に受け入れた上で、あなたが正しさを証明しなさい」ということなんです。

ライターの木澤佐登志《きざわさとし》さんが指摘するように、陰謀論は、ゲーミフィケーション（ゲームデザインの要素を応用的に用いることであり、ビジネスや社会の問題解決において参加や没入を生み出す手法として期待が集まっている）みたいに、集合知をうまく利用して人々の参加を調達するところがある（『失われた未来を求めて』大和書房）。だから、脱出ゲームとか、マーダーミステリー、人狼ゲームのような広義の「謎解きゲーム」のような高揚とつながりの感覚が、陰謀論には生じうる。一緒に巨大な謎に向かっていくわけですよ。その物語に参加すると、国家の陰謀に気づいたハリウッド映画の登場人物みたいになれて、結構わくわくする。今回、「ナラティヴ」というキーワードを挙げたのは、陰謀論には、受け手が妄想《もうそう》や推測で補完しないと成立し切らないところがあるというのもあったんです。集合的に作られていくナラティヴとしての陰謀論。

私たち、長く話しすぎたんで、朱さん何かあればぜひ。

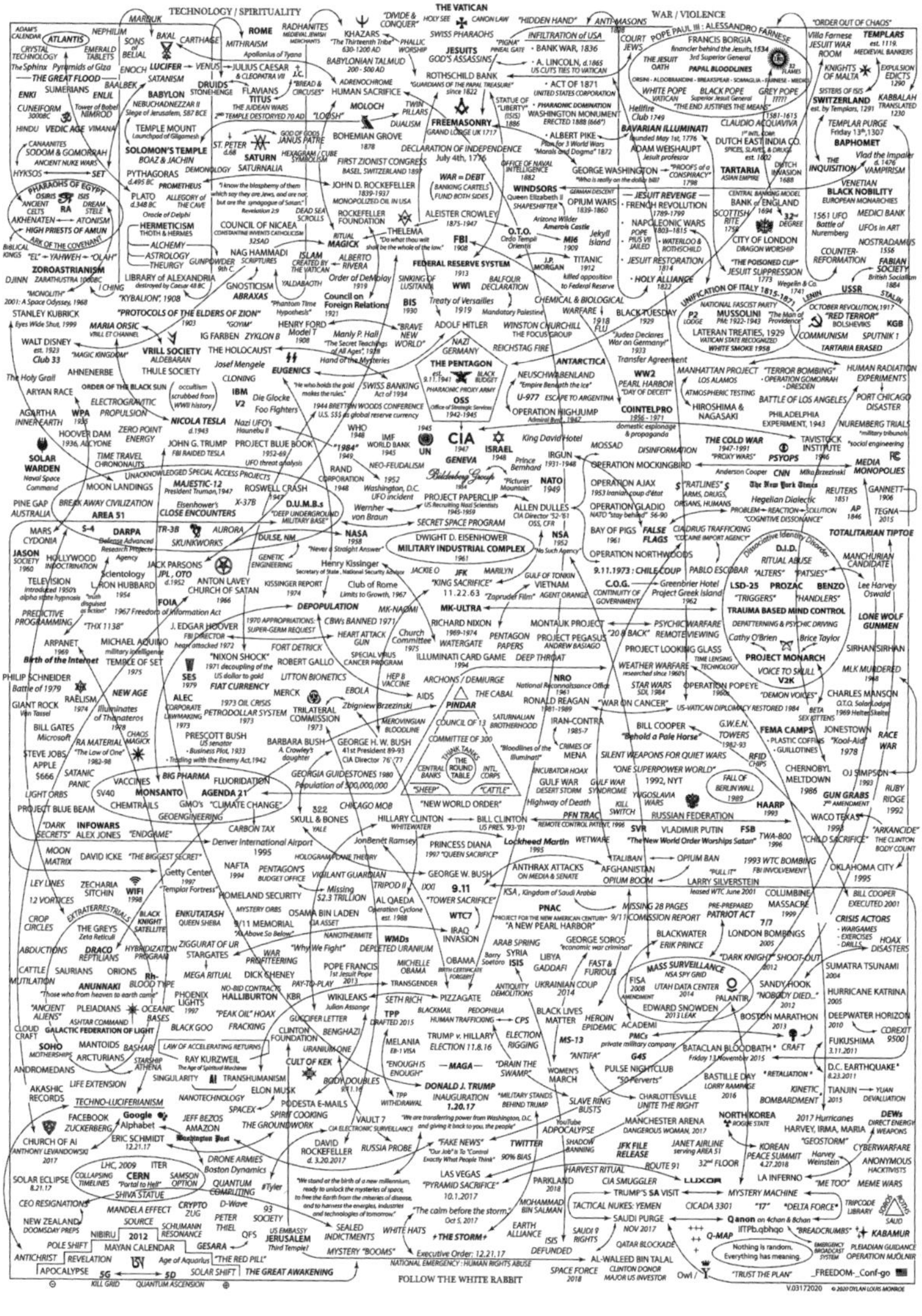

Qアノンウェブ（https://www.dylanlouismonroe.com/deep-state-mapping-project.html）

カール・ポパーと「陰謀論の哲学」

朱　その通りだな、面白いなと思って聞いてました。さっきの杉谷さんの話題で、善い嘘と悪い嘘の線引きができるのかという話がありましたよね。つまり、陰謀論とそうでない言説が、はっきり区別できるのかみたいな。それについて、「陰謀論の哲学」の観点から少し話させてください。

――「陰謀論の哲学」というジャンルがあるんですか？

朱　ええ。哲学は、いろいろな対象を持つことができるんです。「映画の哲学」とか「生物学の哲学」とか。そういう対象の一つとして陰謀論があって、先駆的な研究論文や著作がいくつか折り重なっていって、哲学のサブジャンルとして「〇〇の哲学」というのができていくんです。「陰謀論の哲学」は、そういうものの一つ。

――へぇ！　そうなんですね。言われてみれば、そうかもしれないと思いましたが、そんなことまで哲学のジャンルになるんだなと。改めて驚きました。

朱　そうなんですよ。谷川さんが冒頭で紹介してくれた『現代思想』の話から始めると、あれは、トランプ陣営が選挙不正を訴えたり、議場の占拠を行ったりしたことを踏まえて組まれた「陰謀論」を特集テーマとする雑誌に論文を書いたんです。陰謀論の哲学は九〇年代後半から若干流行っていたのですが、そういう流行りの源流をたどっていくと、カール・ライムント・ポパーという哲学者に行き着きます。彼は、杉谷さんのいう「批判理論」の源流の一つでもありますね。

杉谷　まさに。ポパーとアーレントは同時代人ですね（アーレントは一九〇六－七五年、ポパーは一九〇二－一九九四年）。どちらも全体主義と戦い続けた。

朱　ポパーは、その世代の典型ですが、ナチスドイツのような危険な勢力が生まれてくる中で、社会科学はデマやイデオロギーではなくて、「科学」の吟味に耐えうるものでなくてはいけないと語ったわけです。彼の言葉では「反証可能性」というやつですね。間違っていることが確かめられるかどうかということ。その彼が、陰謀論の哲学の元祖だと。

谷川　ポパーはどの本でその話をしてるんですか？

朱　『開かれた社会とその敵』（未来社）です。ポパーの言葉でいうと「陰謀による社会理論」ですが、それは「社会理論」に値しないと言うんです。この指摘が「陰謀論の哲学」のオリジンになっている。ポパーは、「科学」と「疑似科学」を線引きするような「反証可能性」概念に訴えれば、何とかやばい理論や思想を退けられると素朴《そぼく》に考えていた。「反証」つまり、どういう場合には間違っているのかを実験や観察などによって検証することができる仮説こそが科学的なもので、そうした検証による棄却が不可能な信念、たとえば「神様が存在している」といった宗教的信仰は少なくとも科学的仮説ではない、といった具合ですね。そして、陰謀論の最たる特徴は、どれだけ陰謀の存在を否定する事実を示しても「それは隠されているからだ」と言いつのれることですから、この点において「反証可能性」を持たない主張であるということになりそうです。

けど、その後三〇年以上にわたり続いてきた議論の蓄積を踏まえると、「科学的」主張と「非科学的」主張とを明確に線引きできる絶対的な尺度を示すことは難しい。そうすると、陰謀論は悪いからきっちり線引きして取り除こうという試みは、実現困難だということになってきます。

具体的にいうと、亡命ユダヤ人であったポパーが念頭に置いていた陰謀論は、いわゆる反ユダヤ主義的な陰謀論で、それはまさに反証不可能な主張であるというかどで拒絶することができるかもしれません。しかし、陰謀論を「世界史的な出来事の背景には何者かの思惑があり、それによって利益を得ている個人や集団がいる」という主張だと定義すると、七〇年代のウォーターゲート事件（共和党の大統領であるリチャード・ニクソンの関係者が民主党のウォーターゲートビルに盗聴器をしかけようとしたが、この事件にホワイトハウスが関わっていることが明るみに出た）のように、ジャーナリズムによって暴かれた「正しかった陰謀論的仮説」もあるわけです。こうして、現在の陰謀論の哲学では陰謀論全体を棄却するというよりは、「善い陰謀論的仮説」と「悪い陰謀論的仮説」を区別できる線引きはないのかを模索しています。ただ、少なくない論者がそもそもこの線引き自体が成立しないと主張しているわけです。

杉谷　なるほど。

陰謀論を否定する人も陰謀論からは無縁ではない

朱　これをさらに補強することはたくさん言えるんですが、まさにいまのタイミングで浮上している面白い話があるんです。いえ、まったく笑えはしないんですけど。つまり、トランプ政権とか、Qアノンなどの伝播《でんぱ》させたデマや陰謀論については、ファクトを重視して批判していた「知的な人たち」が、二〇二二年春のロシアによるウクライナへの侵略戦争については、かなり平気で「いや、でもあれはアメリカも悪いんだ」とか、「NATOの東方拡大についての密約が……」みたいな、そういう類の、広い意味で陰謀に基づいた社会的説明を肯定しているんです。つまり、アメリカの政策の意図というものが、この戦争のこの状況をもたらしているんだと説明する。

谷川　え！　むっちゃ面白い。

朱　もちろん、この人たちが訴えるタイプの「陰謀」が事実無根で、一切そのようなことが状況に関わっていないことを立証するのは限りなく難しい。ポパーによると、社会的な出来事を、何らかの権力を持った特定の個人や集団によって意図された産物として捉えることが陰謀論の特徴です。だから、「知的な人たち」のロシア侵略の語り方は、まさにそれに該当する。こういう陰謀がゼロだとは言えないとしても、今回の侵略を語るとき、「いや、あれは覇権国家であるアメリカの作為だ」みたいな語り方は、何か説明の優先順位がおかしい感じがします。

ともかく、アメリカ大統領選挙やQアノンのとき、あれほど馬鹿にしたように陰謀論を批判した人たちも、このタイプの陰謀論的な主張は語ってしまっている。私が『現代思想』で論文を書いたときとは風景が違って見えるなと感じますし、そこで論じたように「陰謀論」の善し悪しの峻別《しゅんべつ》がいかにむずかしいかということの証左とも言えそうです。

谷川　社会学者の筒井淳也《つついじゅんや》さんが『社会を知るためには』（ちくまプリマー新書）で、陰謀論に立つ説明について語っていたことを思い出しました。誰かの意図と結果がダイレクトに結びついている、つまり、ある目的で行った誰かの行為が意図通りに実現され、特定の帰結がもたらされるという発想を全面化するのは、ちょっと違うんじゃないかというのが、この本の基本スタンスです。しかし、陰謀論は意図と結果を短絡している。

筒井さんの指摘は、確かにその通りで、私たちは家族や恋人のような狭い範囲の人間関係すら意図通りには動かせず、ちょっとした仕事や趣味でのアクションも計画通りとはいかない。それにもかかわらず、社会や世界の出来事については、誰かや何かの意図通りに結果がもたらされているのではないかと素朴に考えてしまう。これは問題だろうと。

単語選びで立場を判断する世界

朱　まさにポパーもその論法で陰謀論一般を論駁《ろんばく》しようとしました。彼の論拠はほかにもあるのですが、ひとつは筒井さんもおっしゃるように社会は複雑で、誰か個人の意図だけでその動向を説明してしまう理論など社会理論の名に値しない、というわけですね。ところで、もう一声足していいですか。

杉谷 もちろん。

朱 お二人が言っていた「自分の頭で考える」という話を、今のソーシャルメディアを中心に展開される言説空間の中での陰謀論ということに結びつけて語りたいんです。谷川さんがキーワードとして挙げた「ナラティヴ」って、ある面では、それほど力を持っていないようにも見えるんです。というのは、もっと原始的なレベルでのやりとりで、保守やリベラルなどを典型とした党派的な会話がなされているからです。つまり、特定のキーワードを使っている、特定のインターネットミーム（ネット上で拡散する言葉や画像など）を使っているというような、語彙《ごい》選びの段階で、その人が何にコミットしているかがはっきりわかってしまう。どんな価値観とかどんな陣営に対して属してるかが割と一目瞭然《いちもくりょうぜん》になりうるんですよね。

谷川 たとえば「右でも左でもない普通の日本人です」とかですよね。極右やネトウヨと呼ばれる人種差別的な人たちが共有している言葉遣い。

朱 まさに。その言説なんかは典型です。実は、ヘイトスピーチ研究の文脈で、定量的手法を使った共同研究をした中でわかったことなんですね（和泉《いずみ》悠《ゆう》・仲宗根《なかそね》勝仁《かつひと》・朱喜哲・谷中《やなか》瞳《ひとみ》・荒井《あらい》ひろみ「AIはレイシズムと戦えるか：自然言語処理分野におけるヘイトスピーチ自動検出研究の現状と課題」『思想』二〇二一年九月号、岩波書店）。だから、一連のストーリーというよりは、実は、言葉選びのレベルでお互いをシグナリングしているところがある。もちろん、ベタに「普通の日本人」って言っていることもあるにはあると思うんですが。

谷川 単語選びでどういう立場かをパッと判断していると。

朱　トランプが大統領のときに話題になったんですけど、ジェネラルアダルトマン、アダルトマン将軍の話って知ってますか？

谷川　わからないです。どんな話ですか？

朱　ネット右翼は往々にして親トランプだったんですが、そういう日本のトランプ支持者が、アメリカのYouTubeに対して差別動画削除方針に抗議する際に、「普通の日本人ならこう言うんだよ」みたいなことを英語で書こうとしたんですね。そこで「日本に普通にいる大人だ」と言うために、「ジェネラルアダルトマンだ」と英語で書いた。でも、この英語を直訳したら「アダルトマン将軍」ということになる。本人の言う通り、これが平均的な日本人だとするなら、この恥ずかしい英語力は大変なことだと馬鹿にされたそうなんですね。それで、「アダルトマン将軍」としてミーム化したんです。

谷川　へぇー！　国境や言語を超えても自分たちのノリが通じると思っていたのかな。かなり無理をしてまで自分たちの単語選びを維持している。それくらい特定の語彙に価値を置いているんですね。

朱　ちょっと話が逸れましたが、ここでのポイントは、文脈次第で風向きは変わるんだけど、ある単語をチョイスすることそれ自体が、「あなたはどういう思想を持っているか」、たとえば陰謀論に感染しているかどうかということの、すごく明快なシグナリングになっているんです。

杉谷　符牒《ふちょう》みたいになっているんですね。

谷川　言葉選びだけでどの陣営か判定するようなコミュニケーションが陰謀論者の間では行われ

ているというのは、笑い話ではないなと。ある俳優さんがInstagramの「ストーリー」という機能で写真をアップロードしたんですけど、その画像をQアノンの陰謀論の信者が勝手に加工した。それで、その俳優さんがウクライナ侵略について親ロシア的であり、「ワクチンは殺人兵器で、その背後にはディープステイトの暗躍がある」と信じているというシグナルを発する写真に変えてしまったんですよ。

ちょっとキーワード入れたらいいだけだから、勝手に陰謀論陣営に入れられてしまう。「うちのチームには、こんな有名人もついてっから！」みたいな世界なんですよ。「こっちにはこれだけ強い人が、魅力的な人がいて、こんな人も話してるんだから、これは確からしいんだ」という権威付けに利用されるリスクがある。笑えないことに、陰謀論に批判的な人の相当数が、加工された画像を素朴に受け入れて、その俳優がQアノン信者で、ワクチン殺人兵器論を信じているということを事実とみなしていました。「えっ、あの人が？」「ショック……」と。いったん表に出たら、嘘でも何でも信じられかねない。

SNSの党派的なやりとりは「議論」に発展しない

谷川　少し話を逸らしてしまいました。続きをどうぞ。

朱　ポパーが陰謀論のことを「陰謀による社会『理論』」と呼んだように、一連の規則やストーリーに基づいた思考の脈絡、つまり推論をやっているなら、陰謀論は「理論」や「議論」に相当するわけで、立場が違ってもまともに会話できるわけですよね。それが議論であれば、いくつかの主張が理由の関係でもって結びつき合ってネットワークを成しているので、一個一個「これどういうことですか」「なぜそう言えるんですか」「これとどう関係しているんですか」と、ネットワークの関係を明示して点検していくことができる。こうした言語観に基づいた言語哲学の理論を「推論主義」と呼びますが、私もこの立場から応用的な言語事象について研究をしています。共同で翻訳したこともあるロバート・ブランダムが代表的な哲学者ですね（『プラグマティズムはどこから来て、どこへ行くのか』勁草書房）

推論主義のような立場からすると、個別の陰謀論的主張について「その主張を導出するためのこのプロセスは、ちょっと飛躍があるんじゃないですか」とか、「そこで依拠している理由については、異議が挟まれていますね」というように、陰謀論をキャンセルしていく具体的なやりとりをすることができる。「陰謀論特集」の論文では、こういう処方箋《せん》を出していくための手助けが哲学にはできると論じたんですね。でも、現実には単語選びによるシグナリングしかないなら、そういうコミュニケーションは成立しないかもしれない。

谷川　議論の基本ですよね。ある主張をしたら、それがなぜかという理由や根拠を提示できる。自分のこれまで語ったこととの関係を示せる。そういう思考プロセスを見せて、議論の相手とともに主張の導出過程をチェックしていくことができる。でも、そうなっていない。

杉谷　なるほど。陰謀論者とそうでない人ってネットで喧《やかま》しい議論をしているように見えるけど、実際には「議論」も「対話」もないということですよね。

朱 そうそう。そうなんです。先に紹介した定量的なヘイトスピーチの研究から見えるのは、何か根拠があって思考を進めている（＝推論している）というより、ある言葉を選ぶことで敵味方の陣営分けをするみたいな図式なんですよ。だから、陰謀論者は自分の推論を明らかな形で見せることもないので、一つ一つの主張とその理由のステップを確認する余地がなくなっちゃう。つまり、そこにはコミュニケーションの取っ掛かりがないわけです。

谷川 インターネットでの議論は、「こいつはディープステイトに洗脳されているか否《いな》か」「売国奴か愛国者か」「ハトが国民監視ドローンだと知っているか」「自民党を支持するか否か」という党派から入るやりとりが多いですよね。プロフィール欄に党派や立場が示されていることも珍しくない。そこで開示される立場や言葉遣いは、すべてあらかじめ予想できるくらい陣営にハイジャックされています。でも、そうなると、相手の話を聞く必要も、話が交わる必要もないわけですね。そのコミュニケーションは、かなりハイコンテクストなので、陰謀論者と間違われないように語彙に気を付けながら話すことは、一般の人には難しい。

朱 そういうゲームに参加している人相手に、平場《ひらば》で会話ができるかというと、まともに会話が成り立たないのではないかという気はします。その見通しが立ちづらいですよね。ベタに議論しようとしても、基本的ルールが共有されていないので。おそらく、対話したくないからそういう定形表現に頼っているところもあると思います。ＬＩＮＥスタンプのやりとりと同じように、この定形表現を投げたらこれが返ってくるという、お約束のじゃれ合いをするコミュニケーション。

これは、「なぜですか」「こうだから」「『こう』なのはなぜですか」……と理由をやりとりする議論のコミュニケーションとは全然違うことを目指している。

谷川　携帯電話の登場と前後して、コミュニケーションのモードが、意味内容の秩序だったやりとり（秩序の社会性）から、場の空気を維持しつつつながり合うこと自体を目的にするもの（つながりの社会性）に変わっていったと指摘する本が二一世紀初めに出ましたが、その傾向がますます加速したということかもしれませんね（北田《きただ》暁大《あきひろ》『増補 広告都市・東京：その誕生と死』ちくま学芸文庫）。そうすると、事実や脈絡を尊重した、議論めいたコミュニケーションは難しそうですね。

陰謀論も反陰謀論も好きな「マスターアーギュメント」

――もう事実も何もない、議論もしようがないというのが、ある意味今の世の中ということなんですか？　「普通」という言葉も言わない方がいい、とか。

朱　さすがにそれは極端ですよね。「普通」という言葉も、日常的な意味ではもちろん使っていいと思うんです。ただ、それについて確固たる一線を引けるような基準をジャーナリストや学者は引ける見通しはないということです。「善い陰謀論」と「悪い陰謀論」は明確には分けづらい。

谷川　たとえば、「真理を信じなさい、事実を尊重しなさい」という基準は当てにならない。トランプ陣営なんかもそう言ってるし、Qアノン陣営なんかは、まさに自分たちが真実を握ってると言ってるわけですよね。つまり「事実を尊重する」という線引きやシグナルでもって、「こいつは信頼できる」と安心してよいかと言われるとそうはいかない。

ただ、もちろん、事実かどうかはある程度判別がつくんですよ。事実なるものが成立しないというのは極端です。どんなサプリメントを飲んでもワクチンの代用にはならないし、トカゲ人間もいないし、アウシュビッツや南京《ナンキン》でのジェノサイドもあった。それ自体に争う余地はない。でも、「この基準で見れば必ず信頼に値する議論かどうか、信頼に値する人かどうかがわかる」というものは、提示できないということです。

――なるほど。

谷川 「単純な線引きや基準で、陰謀論を一掃しよう」ということそのものが、実は怪しいということは言っておくに値するかもしれませんね。冒頭で言及した杉谷さんとご一緒したアメリカ大統領選挙直前のシンポジウムでは、「これだけで何でも説明できます」と謳《うた》う理論や基準のことを「マスターアーギュメント」と呼びました。アーギュメントは議論や理論のことで、マスターというのは、マスターキーのようなイメージです。それ一つですべての扉を開けることができるみたいに、これだけであらゆる問題をそれだけで突破でき、説明しきることができる理論や基準が、マスターアーギュメント。「そういう理論や基準がある」と語る議論は、どこかうさんくさいと思った方がいい。

マスターアーギュメントという言葉を持ち出すことで何が言いたかったかというと、陰謀論も、陰謀論を批判する側も、実はどちらも手短な議論ですべての片を付けようとしていて、「マスターアーギュメント」になっているということなんです。陰謀論やデマ、オカルトを信じる人は、それだけで森羅万象《しんらばんしょう》を説明しようとしているけれど、陰謀論を批判しようとする人もまた、ごく単純な基準で、あらゆる陰謀論を退けようとしている。これって実はどちらも同じように、面倒な手順をすっとばして、単純に処理していますよね。

他人を嗤《わら》うだけの「愚かさの批判」

杉谷　あと、谷川さんは「愚かさの批判」についても話してましたよね。その連鎖からどう降りるのか。

谷川　ですね。「愚かさの批判」というのは、誰かを批判するとき、その人が「愚かだ」「浅ましい」「馬鹿だ」というところに帰着させながら語ることを指す言葉です。たとえば、リベラルや学者、ジャーナリストが批判されるとき、「こいつらは現実見えてないからな」みたいなことを言われるわけですよね。こういうのが愚かさの批判です。しかし、学者やジャーナリストも、「こういう人たちは全然事実を見ようとしない、話にならないんだ」と反論してしまったりする。これも、他人の「愚かさ」に注目して嗤《わら》っているんですよね。

要するに、どちらのやり方も、互いの「愚かさ」にフォーカスを当てているんです。そうすると、「こいつは愚かだからこれ以上話すことはない」というメッセージを暗に発することになりますよね。そうなると、もうまともに話ができないし、自分の側に愚かさがないだろうかと自問する道も開かれそうにない。このタイプの批判の仕方をどうやって離れようか、という話をしたことがあるんです。

杉谷　ある人がこの人と仲がいいから、この人を褒めているから、だからそれだけで話を聞くに値しないという論法を使う人もいますね。ある学者が特定の政治家とつながっているというとき、それは学者の党派性と無関係とは言い切れないでしょう。でも、相手の言説をちゃんと取り扱って反論することなく、なんとなく人間関係で発話者の権威を失墜《しっつい》させて、「こいつは所詮《しょせん》こういう人間なんだから真面目に言うことを聞く必要なんてないんだ」と言うのは、議論のあり方として望ましくないですよね。

朱　対人論証（人格攻撃）と呼ばれるものですね。古代ローマの辺りから弁論術では避けられるべきとされている。

谷川　ヒラリー・クリントンは、大統領選の候補決めのとき、一〇代の頃に共和党の選挙事務所を手伝った過去がスキャンダルになったんですよね。対人論証は、キャンセルカルチャー（不適切とみなされる過去の言動を問題視し、何らかの制裁を求める運動のこと）に関わってくる問題でもあります。

杉谷　もちろん、ある学者がやばいつながりを持っていて、本当に話を聞く必要がないということもあるんです。ある学者がカルトやネットワークビジネスとつながっているとか、オンラインサロンで儲けるだとか、怪しいことは実際にある。しかし、対人論証が会話の作法として前景化しているのは、どうなのかなと思うんですよね。

朱 実際に怪しいことはあるけど、そこに訴えたら何も言えないというのは、陰謀論に通じる話ですね。陰謀が世の中に全くないかというと、そうではない。ウォーターゲート事件もあったし、暗躍している組織や個人だってあるでしょう。でも、それは普通に採用される判断基準にならない。

ポジティヴ・ケイパビリティとネガティヴ・ケイパビリティ

谷川 少し話を整理させてください。かつての陰謀論は何かを説明したり考えたり探求したり議論するためのものとして生まれたのかもしれないけれど、現代の陰謀論ではもっと退行している。どんな言葉遣いをしているか、キーワードを選ぶかということによって、陰謀論陣営か反陰謀論陣営かを明示して、陣営ごとの動員ゲームをやっているかのようだと。もちろん、これは陣取り合戦であって、もはや「議論」ではない。

じゃあ陰謀論を批判する人たちが、その陰謀論をうまいこと批判できているかというと、そうでもないように見える。やはり同じように、言葉選びで人や議論を判断したり、「ファクトだ！」というような、実際には頼りにならない単純な線引きに訴える（＝マスターアーギュメント）だけで突破しようとしたりする。だいたい、こういう話だったのかなと。

朱　この話は、谷川さんが最初に説明してくれたネガティヴ・ケイパビリティという能力との結びつきを感じるんです。アーティストのアンディ・ウォーホルが言ったように、昔は一生のうち一五分スポットライトを浴びることができた。でも今や誰もが、公共空間やＳＮＳなんかで自由に言説を開示でき、注目を集めることができる。過激なことをやれば特に簡単に。

そのとき、ネガティヴ・ケイパビリティを発揮することはますます難しくなってるし、その訓練って、いわゆる学校教育とかでやられるものとはかなり異質だと思うんです。むしろ学校教育って、「大人」を育てるための教育を施すものなので、「主体的に自ら言説を発信して、それをパブリックに訴える意欲と能力を養うんだ」というのが、学校教育が一応目的として掲げていることですよね。

谷川　それは「わからないことに耐えながら、じっと観察して本質にじりじり迫っていく」というネガティヴ・ケイパビリティではなく、ポジティヴ・ケイパビリティですよね。市民としての能力。

朱　まさにポジティヴ・ケイパビリティ。それは市民の徳目《とくもく》ですよね。自分で考えを発信していく力。でも、ネガティヴ・ケイパビリティって、学校教育では教えているように見えないし、どうすれば学びうる、教えうるんだろうかというのは、悩むところです。その重要さに比して、この問いには答えあぐねるところがあります。そこについて、もし谷川さんに何かお考えがあれば。

谷川　ネガティヴ・ケイパビリティについての本を書いている作家の箒木蓬生さんは、似た指摘をしています。職業教育や学校教育で教えられるのは、迅速かつ的確な問題処理能力であって、時間をかけたり、拙速に結論づけたりしないでいるネガティヴ・ケイパビリティは、そういう教育課程では教えられないのではないかと。それはそうなんだろうなと思います。

少しずらして答えると、哲学者のオルテガ・イ・ガセットという人が、こんなことを言っているんですね。

ところが今日、平均人は宇宙に起こるすべてのこと、そして起こるはずのすべてのことに関して特別明確な「思想」を持っている。だから彼らは他人の話を聞く習慣を失ってしまったのだ。必要なものはすべて自分の中にあるのに、どうして他人に耳を傾ける必要があるのか。もはや聞く場合ではなく、今や裁き、宣告し、決定するときなのだ。(『大衆の反逆』岩波文庫)

この世のあらゆる出来事について、自分の頭で答えを見つけ、それを人に話しさえすればいいと思っている、それが私たち近代人だということですよ。この姿勢って、市民としての真面目さの表れ、ポジティヴ・ケイパビリティの表れですよね。しかし、まさにこういう習慣こそがネガティヴ・ケイパビリティを腐食させているわけですよ。だから、「話す」「アウトプットする」と対比される「聞く」「インプットする」の側を復権するというのが一つなのかなと。

杉谷 今のSNSで聞く姿勢を奪っているものがあるとすれば、朱さんのLINEスタンプの話ではないですが、それは画像ベースのコミュニケーションだと思います。スマートフォンのカメラロールに、たくさんコラ画像とか漫画の切り抜きを取っておいて、気に入らないツイートを見かけたら、何か一つ選んで貼り付ける。それは、大体において煽《あお》り画像で、ぎゃふんと言わせてやった、論破したみたいな雰囲気になるんですよね。本当は、意味を伝達し合うとか、そういう中身のやりとりがしたいわけじゃなくて、何かわかりやすいキラーフレーズや画像を投げつけて、「うまいこと言ってやった」ということが大事なわけです。

谷川　「人は本当に対話したいのか、どうすれば対話したいと思うのか」という文章を書いたことがあるんです（『フューチャー・デザインと哲学：世代を超えた対話』勁草書房）。ドナルド・トランプのSNSコミュニケーションが巧《たく》みなのは、画像で人をどう馬鹿にするか、どのような言葉を使えば「うまいこと言ってやった」と感じさせるのかを自分の陣営に的確に伝える教師として、彼のアカウントが機能していたからなんだという話をしました。ある意味で、こういう画像や定型文を送りつける人たちは、ポジティヴ・ケイパビリティ（自分の意見を話し、伝える能力）を身につけていると言えるところがあって、私たちが民主主義社会、市民社会を生きる以上、こういう姿勢を果たして簡単に否定できるだろうかと思ってしまいます。

ファシリテーション、あるいは、なめらかに話すことを促される社会

谷川　ネガティヴ・ケイパビリティをどうすれば身につけられるかというより、いかにそれが難しいかという説明なんですが、「積極的な発信」という点でいうと、ファシリテーション（なめ

らかな対話や議論を促す手法のこと）やワークショップ（特定の体験を提供するよう設計されたイベント的な学習機会のこと）など、対話を重視する言説ってそれなりに力を持っていますよね。それを補助線にしたい。

二〇二一年に『ファシリテーションとは何か：コミュニケーション幻想を超えて』（ナカニシヤ出版）という本が出ました。この本のいくつかの面白い指摘のうちの一つが、「ファシリテートされた環境での議論に慣れると、自然にやりとりして何か発信して展開する能力があるという感覚が植え付けられるけれど、実際にはお膳立てされた状況での議論や発話に慣れているだけで、梯子《はしご》を外されたときにこの人たちはどうするんだ」というものです。

こういう危惧《きぐ》は、ワークショップやファシリテーションを推進する人の中からも出ているんですね。つまり、ずっと整備された過ごしやすい場所でコミュニケーションし続けていたら、実際の危機的状況で、お膳立《ぜんだ》てなしにやっていける姿勢はどこで育《はぐく》めばいいんだよ、という話です。この話を私たちの文脈につなげると、ファシリテーションやワークショップが、ネガティヴ・ケイパビリティの形成にとってプラスになっていない可能性があるということです。話しやすい環境で話す練習はしているけれど、言葉も議論も出てこない状況で、お膳立て抜きに立ち止まってじっくり言葉を育てていくような訓練はどこにもないし、本当は、そういう学習が必要なんじゃないかと、ファシリテーションの当事者たちが言っている話としても読めるなと思って面白かったんです。

朱　なるほど。

谷川　ワークショップを企画するとき、「参加者は、モヤモヤ考えるよりも、わかりやすく何かやった感覚、すごいことを達成した感覚を持ちたがるんです」と言われることは多いですね。簡単にペラペラ話せる話題に絞ることを求められる。それに、今は小学校から大学まで、教育現場では「アクティブ・ラーニング」といって、インプットではなくて、双方向性や発信を重視する形式の授業が推進されています。予備校や塾、参考書などでは授業対策として「こういう風に話そうね」という語りのフォーマットを整備してます。こんな風に、なめらかに発話することが学習のさまざまな局面で重視されていますよね。

朱　それぞれの陰謀論が持っている定型文や決まった言葉選びは、ある意味で、そういうなめらかな発話を促してくれる究極のものですね。

杉谷　なめらかに話しすぎることの問題点はその通りだと思います。たとえば、マンスプレイニングという言葉がありますね（「マン（男性）」と「エクスプレイニング（説明すること）」を合わせた造語）。男性が女性に上から目線で説明する権威的で抑圧的な態度を取りがちだということですが、これは確かに大いに問題です。

谷川　文筆家のレベッカ・ソルニットの『説教したがる男たち』（左右社）という本で広まった言葉ですね。社会で「女性が教えを乞《こ》い、男性が語る」という構図が社会のあちこちにあるとき、「とにかくなめらかに話す！」ということだけになると、そういう権威的な構造が温存されがちになるでしょうね。

杉谷　この点は、本当に反省しないといけない。ただ、『ファシリテーションとは何か』を読んで、用意された環境でなめらかにしゃべらせ、調子のいい学生を生み出していくという議論をみて、素朴に「なめらかに調子よく話す学生ほしいな」とも思ったんです。私の接する学生たちは、みんな真面目で勉強もするけれど、何考えているのかわからないくらい、何も話してくれないんですね。感想を言ってみて、質問や意見を作ってみてと言ったところで、やっぱり何も出てこない。

谷川　かなりおとなしいんですね。環境に促されて話すなら、話さないよりいいじゃないかと言いたくなるくらいに。

杉谷　ですね。多くの若者は政治に対して関心はないし、何かを言ったりとかっていうこともしませんし、投票率も実際に低い。そういうことを考えると、「何でもいいからとにかく関心を持ってもらわないとどうしようもないんじゃないか」と言いたくなるような側面がある。しかし、自分なりに考えて陰謀論に触れてしまい、陰謀を介して政治に関心を持ってしまうこともあるかもしれない。陰謀論も意見だから、これを発信すればいいのかというと、それも危ない。でも、関心や意見も足りない。この両面から考えた方がいい気がするんです。

一問一答で探す習慣が形成されている

杉谷　松浦さん（編集）は『ONE PIECE』（尾田《おだ》栄一郎《えいいちろう》、集英社）という漫画をご存じですか。

――はい。読んでないんですけど。

杉谷 『ONE PIECE』という漫画に百獣のカイドウというものすごく強いやつがいて、彼が自分の子どもと戦っているとき、いろいろ問われるんですよ。どうしてこんなことをするんだと詰問《きつもん》される。そのとき、カイドウが言ったのが、「一問一答で動いちゃいねぇんだ世の中は‼青二才が!!!」というセリフなんですね。

今ネットで流行っているひろゆき（西村博之《にしむらひろゆき》）とかメンタリストDaiGoとかって、一問一答の積み重ねなんですよ。彼らのYouTube、そうなっているじゃないですか。社会問題はすごく複雑に絡まり合っているし、単純に一つの原因だけ語ることはできないし、特定の個人や集団の意図で説明もできない。そういうことを考えたときに、「それに対する答えはこれですよ」と答えるだけで、本当に社会の問題が理解できるとか、私たちの生きている苦しさが解決するかというと、そうじゃないわけですよ。

たとえば、新型コロナ感染症のリスクを実際に全部防ごうとなったら、もう完璧なロックダウンをすればいいわけです。でも、そうなると経済的にものすごく苦しくなるし、メンタルヘルスの問題も出てきて、人々が落ち込んで大変なことになる。単純な一問一答を積み重ねていけば、善い世界にたどり着けるとか、いい問題解決につながるとか、真理に到達できるという考えは、たぶん間違いなんですよ、この現代社会において。

でも、この対話を収録する前に、ある法人のための口座を作らないといけないので情報収集していたんですが、やるのは「法人口座　やり方」で検索ですよね。私だって単純な一問一答を求めてしまう。というか、今日生きてきた二四時間の中で一問一答しなかった人って、たぶんこの中にもいない。一問一答って便利なんですね。いま目の前の問題、課題を解決する。さしあたり解決する上ではそれはすごく大事なことなんです。

谷川　だからこそ、カイドウの言葉は大事だし難しいんですね。だとすると、「この答え何なの?」と答えを探してしまうことは避けられないけど、単純な一問一答を超える局面、つまりネガティヴ・ケイパビリティを用いる局面をどう作るかが大事になってくる。

杉谷　その通りです。一問一答じゃない局面をどう作るか。

谷川　ウェブで検索することをベースに生きているからこそ、一問一答に親和的になるのかもしれませんね。このキーワードに合致する答えを探す心の習慣が形成されている。

朱　しかも、一問一答の背景には学びたいという感情があるので、それは否定すべきでは決してないですよね。

谷川　性急に結論づけずにモヤモヤを抱えておき、こうではないかと考えを彫琢《ちょうたく》していく。その上ではじめて、何か有意義な議論ができることだってあるはずで、そのことの価値についても、この本でどうにか言語化していきたいですね。

面倒を省略してくれる一問一答と、面倒を描くエンタメ

杉谷　スパーンと即座に短く断言する一問一答は、クールで格好よく見えるわけですよね。ひろ

ゆきさんのように、意表を突いた答え、逆張りのような発言は、爽快感《そうかい》があるし、みんなそれを見て喝采《かっさい》したくなる。でも、ああいう語り方だけでは駄目なんだということを——口で言うのは簡単ですけどね——、考えていったほうがいいと思うんです。

一問一答の世界観、その中で魅力を持つズバッと断言する語り方を超えていくものを考えるとき、ネガティヴ・ケイパビリティが大切になってくる。つまり不確実なもの、不確定なもの、わからないものがない世界を、やっぱり人は望みがちだけれども、一問一答では掬《すく》いきれない世界があることをどう認識してもらうか、そして、その認識をどう共有していくか。最近そんなことを考えています。

谷川　一問一答に頼りたくなる心の動きって、面倒くさいものをカットしたいみたいなことなんですかね。そうすると、ひろゆきの論破も、丁寧な議論や地道な対話といった面倒をカットして、意表を突いたこと、誰も言いそうにないことを言うってことですよね。バシッとくる答えを検索で見つけたいという気持ちと、論破や断言を期待する気持ちは、背後にあるものがとても似ている。小学生もひろゆきの真似をして論破しようとするそうですが、そこで反復されているのはひろゆきの思想や中身ではなく、批判や論点ずらしの構文で、その真似にもコストがかからない。コスパのいい話し方なんでしょうね、ひろゆきの話法は。

朱　なるほど。

谷川　急にサブカルチャーの話になるんですが、昔「攻殻機動隊」というテレビアニメがあったんですけど、その監督の神山健治《かみやまけんじ》という人が、ストーリーの中に、面倒くさい会議、調整のための顔合わせみたいな瞬間を意識的に入れていたと言っているんです（『コンテンツの思想：マンガ・アニメ・ライトノベル』青土社）。このアニメは、別に根回しや調整を描く政治劇ではなくて、むしろ銃撃や諜報《ちょうほう》、治安維持、内偵といったことがメインなんです。だから、こういう瞬間というのは、ストーリーの展開でいうと必要ない。にもかかわらず、誰かに出撃の許可を取りに行くシーンとか、予算をとってくるシーンとか、議論して突っぱねられたり、書類を突き返されたりするシーンがたくさんある。これは効率でいうと必要はないけれども、現実にはこういう瞬間もあるんだということをやっぱり言っておかないと、思ったと神山さんは言うわけですね。

この対談がすごい頭の中に残っていて、ときどきこの指摘の重要性を思い返すんです。神山さんの発想は、一問一答に飛びついたり、論破される瞬間に快楽を感じたりするように、効率的で目立った世界観を求める心の動きの対極にありますよね。でも、私たちは、まさにこういう面倒に振り回されている。会議とか、根回しとか、許可取りとか、書類とか、そういう面倒くささに疲れてるからこそ、一問一答を求めちゃうんかなとも思って……。特にオチを想定して話したわけではないので、これに続く話は持っていないんですけどね。

なめらかにしゃべらせる権力と、聞くことの力

朱　我が意を得たりと思って聞いていました。一問一答が問題になっていましたけど、実際には

「検索の仕方」ですよね。それに、一問一答をしゃべって、ひろゆきみたいに断言して論破したい人が問題になっているというより、それを見て喝采したい、オーディエンスでいたいという欲望の方だなと思っていたんです。

杉谷 確かに、誰もが答える側、話す側、意見を言う側に回りたいわけではないし、一問一答において、いい感じの「答え」を見たいわけですよね。

朱 そうそう。誰もがしゃべりたがっているわけじゃないんだけど、でもこの今の世の中って、大学がそうであるように、みんな自分の意見をしゃべらせなさいという方向に権力を働かせるわけですよね。ファシリテーションなんかは典型的で、基本的には自発性を発揮しなさいということを強制するタイプの権力。

谷川 ちょうど最近、そういう権力を「自由促進型権力」と名付ける議論が出てきましたが、まさにそういう感じですね（渡辺健一郎《わたなべけんいちろう》「演劇教育の時代」『群像』二〇二二年一二月号、および『自由が上演される』講談社）。

朱 意見を話すスキルだけでなく、意見を話させる類のスキルセットを養成しようとする流れもあるわけですよね。ファシリテーターを養成して、ワークショップが主宰できますだとか。なぜこんなことが求められているのかというと、市民の意見を収集して、コンセンサスを形成し、それが政策に反映されたんですよという建て付けを作っていく上で大事だからですよね。参加型行政を進めていく上で、しゃべらせる権威としてファシリテーションが要請されている。大学などで、そういう人を養成する課程もあるとはいえ、別に大学はそれだけやっているわけでは全然ないですよね。

この本の企画にある「ネガティヴ・ケイパビリティ」という言葉を聞いたときに連想したのが、僕が学生時代を過ごした大阪大学の鷲田《わしだ》清一《きよかず》さんが推進していた、哲学対話や哲学カフェです。いくつかのやり方や流派がありますけど。

――哲学対話とか、哲学カフェって何ですか？

谷川　集まりごとに違いはありますが、簡単な対話のルール（何でも話して構わない、話を遮《さえぎ》らずに最後まで聞くなど）を設定して、市民同士がざっくばらんに話し合う実践です。特定のテーマ、たとえば「友達とは」みたいなものが掲げられていることもあります。ただその場合も、講座やシンポジウムのように、何か教え伝えるものではないです。

朱　僕は、大阪大学の文学部研究科の哲学・哲学史研究室出身なんですけど、鷲田さんは隣の臨床哲学研究室にいたんです。その鷲田さんが当時よく言っていたのが「聞くことの力」です（『「聴く」ことの力：臨床哲学試論』ちくま学芸文庫）。哲学対話にも「ファシリテーター」はいるんですが、これは参加型行政がアリバイ的に求める「意見をしゃべらせる権力」ではなくて、むしろ聞くことに徹すること、聞く側でどこまでいけるかということが求められるんです。

聞く力がたとえばどう活きてくるかというと、哲学カフェを実践している友人から話を聞くと、さっきの話じゃないですけど、マンスプレイニングおじさんというか、「俺の話を聞け」というタイプの方がいらっしゃって、場を制圧するらしいんですね。哲学カフェは、「聞きますよ、話してください」というルールがあるから、そういう説明したがる人の言動にお墨付きを与えてしまう側面がある。だから、隣の研究室にいた僕は、複雑な思いで見ていたところがあるんです。

でも、話を本題に戻すと、長年哲学カフェのファシリテーターをしていた友人で、大阪大学の臨床哲学者である鈴木《すずき》径一郎《けいいちろう》さんによると、そういう方がなんで同じ話を何度もするかというと、「話を聞いてもらえてない」と思ってるんですって。自分が言ってるのにみんなが「またか……」という顔をしていたり、話題もなんか流されたりして、自分の話を聞いてもらえていないと思っているから、もう一回説明しなきゃという風になる。だから、必ずしも怒っているわけではなくて、聞いてもらっていないからしゃべらなきゃ、言わなきゃと。つまり、相手に伝わるような仕方で聞いているよという姿勢が取れたとき、その方は、抑圧的で一方的な説明ではなくて、その場で会話のやりとりを回してくれるようになるということだそうで。

谷川 さきほどのオルテガに通じる話ですね。聞く力は意識的に養う必要があるのかもしれない。聞くことは、ネガティヴ・ケイパビリティの一つの表現と言えるのかも。

第2章　自分に都合のいいナラティヴを離れる方法
――フィクション、言葉遣い、疲労の意味

教育の現場で求められる「閉鎖的なナラティヴ」

谷川　ちょっと違う話を足してもいいですか。

朱　どうぞ。

谷川　村上春樹が「自己とは何か（あるいはおいしい牡蠣フライの食べ方）」という文章を二〇〇一年に書いてるんです（『村上春樹 雑文集』新潮文庫）。一九九五年にサリン事件とかがあって、その顚末《てんまつ》を彼は取材したわけですが、その中で「物語を語る」という点で、オウム真理教のような強靭《きょうじん》な陰謀論も、小説家の物語も、ある種一緒だということに直面することになります。

でも、村上春樹によると、その二つは根本的に違うところがある。オウム真理教とかカルトとかの語るストーリーというのは、閉鎖的な物語だと。

> しかし個人としての麻原彰晃《あさはらしょうこう》が、組織としてのオウム真理教が、多くの若者に対してなしたのは、彼らの物語の輪を完全に閉じてしまうことだった。厚いドアに鍵をかけ、その鍵を窓の外に捨ててしまうことだった。

　何でも説明できる閉鎖性を陰謀論は持っていると。その中だけで完結するから、一問一答的にわかりやすく世界を語るし、あらゆる疑問に答えることができる。そして、その外側を学ぶ必要もないんですね。それだけ持ち帰ればすべて片が付くので。
　それに対して、小説家の書くストーリーというのは開かれていると言うんですよ。小説ではいろいろな仮定が積み重ねられ、ファンタジックな状況が語られるけど、小説を読み終えたときには、「読者はその記憶を部分的にとどめるだけで、もとあった現実の中に戻っていく」。村上春樹は、これを「継続性」の有無だと語ります。小説の物語は現実に依存している。フィクションの物語が終わっても、現実が継続する。そういう風に、持続する時間の中で吟味されうる開放性を持っているかどうかが物語にとって大切だと。

杉谷　なるほど。

谷川　「ああ、ええ話やな」と思いきや、難しいのは、そうやって「開放性」「継続性」「時間の審判」といった彼なりにはっきりした善悪の基準を挙げて、それだけで話が済ませられるのは、村上春樹はめちゃくちゃ売れてるからやとも思ったんです。たいていのナラティヴは、春樹ほど関心を持たれないし、聞かれないから、実際のところ「継続性」もなにもない。でも、春樹は「私のナラティヴに興味を持ってください」という宣伝が要《い》らない人じゃないですか。書けば本は必ず出版され、それは必ずある程度売れるでしょう。私も毎回買いますし。

たとえば、私は教員なので、教員目線で「言葉を聞かれない」という話をすると、多くの教員の目の前には、早く帰りたがる学生、参加熱心とは言えない学生、考えを聞いても何も出てこない学生がいる。「それ何の役に立つの？」「難しいんやけど」「早く帰りたい」というノリで来る学生って一定数いると思うんですよ。そのときって、わかりやすい一問一答のようなパッケージが手っ取り早い。わかった気にさせやすい。実はこれって、授業の瞬間だけでなく、大学のシラバスでも、この種の明快さが求められていますね。「この授業を受けるとこういうスキルと知識が身につきます」「これは学位授与方針（ディプロマポリシー）の何番に該当します」とか、必ずシラバスには書きます。

こういうノリでやっていると、講義なんかでは、簡単で一回こっきりで、何か調べたり読んだりしなくても授業内で完結するような語りをすることが多くなります。単純には説明できないこと、一概には言えない事象、多面的な説明を要することは、教育現場で語ると興味を持たれにくいから、避けがちになる。つまり、閉じられたストーリー、授業内で完結する程度の小さな知識のパッケージを渡して、「とりあえずこれを持ち帰ってくれ、そして、あなたの世界観に組み込んでくれ」という関わり方をすることが珍しくない。そういうわけで、春樹が提案するような「その体験が終わった後の時間にも開かれたナラティヴ」って、特殊な注目を集めている人しかできないだろうとか思っちゃいますね。「その時間で何が得られるんですか？」なんて疑問を抱かれないくらい問答無用の人気がないと。

杉谷　そうですね。

谷川　会社や家庭など、集団であれば、必ず広い意味での教育がありますよね。そういう教育でも、継続性よりも単純さ、繊細さよりわかりやすさが求められていて、一問一答のような自己完結した語りを用いざるをえないところがある。もちろん、これは大学だけの問題ではないでしょう。

これをどう考えたらいいのかなって、ずっと悩んでいます。村上春樹が言うように、「このカルトは閉鎖性を持つ悪い物語を提示し、私たちは開放性があり善き物語を提示している」って割り切れないなと。どうですか、杉谷さん。

他者批判は自分を安心させる

杉谷　カルトや陰謀論が閉鎖的だというのは、いかにも私たちが受けやすいストーリーだなと思いました。もっと言うと、「俺たち」が受け入れやすいストーリーですね。

谷川　ああ、なるほど。学者とか作家がね。現実に開かれてるし、批判や修正に開かれていると思うことができる。

杉谷　「俺は政策の研究者だけど、朱喜哲とか谷川嘉浩みたいなすごい気鋭の哲学者ともこうやって対等に議論できてるぜ」って感覚を得られている身からすれば、村上春樹のような話はものすごくありがたいですよね。つまり、「俺がカルト化してない証拠だよね、これ」と言えてしまう。カルトのナラティヴが閉鎖的だと批判し、自分たちを開放的なコミュニケーションの側に位置づけることで、何か免罪符を与えている。その点で、村上春樹のその議論は危ういところがあるなと思います。

谷川　確かに。陰謀論の一つの特徴って、自分たちが善で向こう側が悪だと、きっぱり善と悪を分ける世界観がある。善悪二元論的なナラティヴに訴えるのは、村上春樹の物語論も同じかもしれないですね。もちろん、村上春樹の実際の物語は、単純な二項対立の構図に収まるようなものばかりではないけど、このエッセイで提示された物語の位置づけには危うさがありますね。面倒なコミュニケーションや他者理解ではなくて、「やつらは閉鎖的だ」と述べることで、自分を善人だと思い込むことができる。だとすると、これは先ほどの「愚かさの批判」と同じ話なのかもしれない。

杉谷　それに、谷川さんがおっしゃったように、村上春樹は自分の話を聞かれないという渇望《かつぼう》にほとんど悩んだことがないですよね、たぶん。

谷川　村上春樹は固定客がいますからね。

杉谷　そうそう。私も村上春樹は全部買うくらい好きです。で、なぜ話を聞かれないという「渇《かわ》き」に注目したかというと、陰謀論やカルトにハマる人って、自分が誰かと世界観を共有したという実感がなかったり、不安や恐怖が聞かれたという実感がなかったりするところがあるんじゃないか。

閉鎖的な物語を生きざるをえない人たち

杉谷　自分の世界観をちゃんと共有できた仲間と出会ったことってほとんどない人たちが多いんじゃないかなという気がするんです。陰謀論やカルトに入り込み、定型文で通じ合えるくらい世界観を共有できる人たちと出会って、「そうだよね。あれ、〇〇の陰謀だよね」みたいに敏感に通じ合えたら、そこにあるのは連帯感に他ならないと思います。日本のＱアノンのデモの映像なんかを見てるとすごく爽《さわ》やかですよね。

谷川　仲良さそうですよね。ナラティヴや言語の共有にはそういう力がある。

杉谷　仲良さそうだし、Ｑアノンはワクチン陰謀論を語るので、新型コロナウィルスのワクチンに反対するデモをしていて、「子どもを守ろう」と言っている。そこには、切実な思いや心配があるはずです。そういうのを見たとき、彼らが閉鎖的な物語を生きざるをえなかった事情について考える必要があるんじゃないかなと。

朱　そうですね。

谷川　かつて陰謀論信者だった人の話を聞いたことがあるんですが、その人がそこから脱する助けになったのは、閉鎖的な物語を生きざるをえなかったことへの寄り添いだったというんですね。陰謀論を語り始めて、サーッと多くの友人は引いていったそうですが、何人かの親しい人は関係を切らなかったようで、そういう人たちが「異物」扱いせずに、そこに至るまでの事情や思いを聞き出してくれたんだというんです。それが、とても大きかったと。さっきまでと矛盾するようなんですけど、推論や議論としての妥当性《だとう》を丁寧にチェックすることは大切だけど、それだけではダメなんでしょうね。当事者の事情や渇望に焦点《しょうてん》を当てるのも大事。

そういう事情への寄り添いを成り立たせるコミュニケーションは、議論のようなフォーマルな形式ではないという点で、「インフォーマリティ」と呼べると思います。つまり、議論以前の「雑談」みたいなもの。主題についてなめらかに話す対話や議論だけではなくて、むしろ、どうでもいいことをだらだらと話していく会話や雑談も同じくらい大切なんですよね（拙論「人は本当に対話したいのか、どうすれば対話したいと思うのか」）。

杉谷　それって別に陰謀論に限った話ではないんですよね。多くの人とは違う立場にたたされている人たちは、そういった苦しい状況に直面しています。自分の話を聞いてくれない、自分の想いを誰も共有してくれないというのはどんな人にとってもつらいことです。このことからくる渇望は、ときに怒りとして発露《はつろ》されるところがある。で、自分はないがしろにされてる。話を聞かれないというと、「マイノリティ」のことが思い浮かびますが、人種とかジェンダーの問題だったら、人種差別と闘うアクティヴィストとかフェミニストがいて、それなりに社会で存在感を持っているから、政党も意識して公約に採用したりすることがある。でも、知的障害、発達障害や精神疾患は、当事者たちが活動に発展させづらいところがあるから、インフルエンサーみたいな人が出てきにくい。なので、話を聞かれない、ないがしろにされるという怒りを語ってくれた知り合いがいるんですね。繰り返しになりますけど、閉鎖的な物語を生きざるをえない人たちという人たちがいて、その渇きや怒りのことを考えないといけない。

意見や考えを柔軟に変えていけるのは特殊なスキル

朱　聞いていて思ったことを話していいですか。教育を迂回《うかい》して話すことになりますが。

谷川　はい、ぜひ。

朱　プラグマティズムの研究者であるリチャード・ローティという哲学者が興味深い教育論を描いているんです。彼によると、教育は二つの機能がある。社会化（socialization）と、個人化・個性化（individualization）で、その両方が必要なことだけれども、ローティはこれについて明確な順序関係があるんだと言うんですね。アメリカにおけるハイスクールまでは、まずは社会化をやらなければいけないと。しかるのち、高等教育においては個性化をやるんだという図式的な順序関係を設けたんです。かなり単純化された図式なので、アメリカ教育界では右派からも左派からも叩《たた》かれました。

「社会化」はわかりやすい。その社会のコモンセンス、常識とされているものについて伝えること。たとえば人権も、永遠の真理というより歴史的に作られてきた価値なので、それを尊重する姿勢は教育によって伝えていくしかない。ただ、これは教え込むもの、注入するものではなくて、態度を通じて伝えていくもの。だから、この社会が大切にしてきた価値への共感をどう育てていくかという問題なんですね。

谷川　モデリング（観察学習）みたいなものですかね。モデルとなるあり方を観察することで成立する学び。ロールモデルのような。

朱　で、ここが大事なところなんですが、社会化の先にある個性化が何かというと、物事を書き換え続けること、語り直し続けることなんですね。考えや意見、価値を改訂可能性に開いていくこと、もっと言うと、そうして意見や考えをいくらでも書き換えていくことを楽しめるパーソナリティを育むことが、インディビジュアライゼーションの内実なんです。

谷川　社会問題について話し合うと最後に出てくる「考え続けないといけない」という決まり文句がありますが、あれをストレートに生きることを要求するわけですね。それを楽しめる人間を育てる。

朱　ローティの教育論は、ある意味で残酷な話でもあるんです。ローティ自身も書いているんですが、この順番でやる限り、アメリカにおいてインディビジュアライゼーションにたどり着く人は一部しかいないことをよしとしてしまう。

杉谷　つまり大学に行って初めて……っていうことですよね。

朱　そう。この含意は、批判や議論にオープンで、自分の考えを柔軟に変えていくのって特殊なスキルや態度だということなんですよ。議論に対して開かれている、対話の最低限のマナーを持つことができるというのは、自分が変更に対して開かれているということです。そのためには自身に余裕や強靭さがあることによって、変わることの不安に向き合うことができる必要がある。

谷川　ああ、確かに。普通は、対人論証じゃなくても批判されたらムッとしますもんね。でも、たとえば学者や研究者は、批判されることにウェルカムだという前提ですけど、それは一般に難しい。

朱　そうなんですよ。

谷川　もちろん専門家でも、適切な批判に対してムッとする人はいます。それに専門家といっても、二四時間三六五日ずっと専門家の顔をしているわけではなくて、一人の人間の顔――誰かの子どもであったり、雇われ人であったり、どこかの客であったりといったペルソナ（顔）――を持っているので。それでも、専門家はたいていの場合批判も歓迎しますよね。「議論を通じて私たちの考えをより高めていきましょう、確からしいものにしていきましょう」という反省的なコミュニケーションをする。これは特殊な話ですね。

朱　そうなんです。

居場所になるようなフィクションの可能性

朱　自分たちを固定的なアイデンティティに押し込めて考えるんじゃなくて、改訂や変更に開かれうるし、その方がいいんだということを、いい話として、福音として伝えようとする。考え続けよう、議論し続けようと。でも、そんなことを望んでさえないし、そんなことは全く受け付けられないということがありうるっていうことへの想像力もまた必要で。

谷川　聞かれることへの渇望、それと同居している怒りや不安の話に関わってきますね。そんなしんどい状況で、自分の考えを批判にさらしてアップデートし続けるとか、無理だろうと。

朱　それもそうですが、さっきのローティの話で言えば、それはやっぱり「社会化」でのつまずきかもしれない。つまり、十分に自分はその社会の常識、社会にある権威や制度に包摂《ほうせつ》されているという感覚が育まれていなければ、そもそもインディビジュアライゼーションは、始まりようがないとも言える。

谷川　なるほど。「自分たちの考えを吟味して書き換えよう！」という以前に、ちゃんと包摂されなければならない。

朱　そういう見方もあると思うんですよね。ただ、そこで「私はより弱者だ」というしんどさを強調する路線が生まれてしまっていて、それは社会的な異議申し立てとして重要な半面、「弱者」を競い合っているかのような言説には違和感がある。なんだっけ、ひと昔前に話題になったランキング。

杉谷　「かわいそうランキング」（同情や共感を得られやすいかどうかで社会的序列化が生じていると論じた、ライターの御田寺圭《みたてらけい》の記事に由来する言葉）ですかね。

朱　そうそう。「かわいそうランキング」か。近年も映画「ジョーカー」（二〇一九年）で話題になりましたが、すでに社会的に失うものが何もないゆえに躊躇《ちゅうちょ》なく犯罪をおかす「無敵の人」というインターネットミームもありましたね。最弱であることが最強というか、最も苦しい属性の組み合わせを探しにかかろうとしている。ネットでは「私たちは取りこぼされている」というボキャブラリーばかりが目につく。つまり、そもそもソーシャライズの段階がうまくいっていないように見えるんですね。このように自分の社会的に「弱い」とされる属性を中心的なアイデンティティに据えて、それに基づいてよくある言葉遣いで不遇《ふぐう》さや不満を社会に訴える「弱さの競争」とは違う路線を考えたとき、ある種の文学表現に力があるのかもしれないなと思います。つまり、「これは自分の言葉だ」と思えるような多様な言葉を作っていくこと。

杉谷　確かに。

谷川　哲学者のミランダ・フリッカーが「解釈的不正義」という用語で追求している路線ですね。社会で周縁に位置づけられてしまう属性の人たちは、自分の経験をうまく理解したり、他者に伝えたり、語り合ったりすることがうまくできないことがある。そのしんどさ、もどかしさの社会的要因は、その経験を表現するにふさわしい言葉がなかったり、当事者がアクセスできなかったりすることにある。そういう言説面での不正義、これをどう超えていくか。

朱　いま念頭にあるのは、マイノリティの属性を主題化する作品というより、マイノリティ性をデファクトスタンダード（事実上の標準）にするような表現です。谷川さんがサブカルチャーを論じる際にたびたび言及する、ヤマシタトモコさんの『違国日記』（祥伝社）もそうですけど、マイノリティが主題化されなくても、当たり前にいる存在として描かれるような表現が増えていくというのは、魅力的な路線の一つなんでしょうね。

「ここには、自分のアイデンティティの置き場所がある」っていう形で、ソーシャライゼーションが可能になる回路が開かれるかもしれない。フィクションには、そういう力がある。こういう役割を果たしてくれる創造性は、SNSにはやっぱりない。少なくとも、SNS単体でそういう包摂の可能性は見えない。

谷川　『違国日記』では、海外ルーツらしいクラスメイトが当然の光景として出てきたり、さらっと流される日常会話の中で女性がすっきりした顔で離婚報告とかしたりするんですよね。別にテーマとして直接深く掘り下げられるわけではない場合でも、こういうものが当たり前に存在するものとして出てくるの、いいですよね。SNSのような陣営の動員ゲームの場になっているところ以外で、「あ、ここに私がいる！」って場所をどうやって作るかというと、フィクションかもしれない。

それにマイノリティの描き方って、マジョリティに歪《ゆが》められていますよね。「これが私だ」と思った人物が、物語の中でバカにされたり、嘲笑《ちょうしょう》されたり、変な扱いを受けたりしていると、それごと内面化してしまうことになる。それだと自己形成に影を落としますよね。そういう意味でも、フィクションの役割は大きい。

社会の言葉を豊かにすることの可能性

谷川　整理してもいいですか。大学制度、つまり専門知の中に入っていける人は、自分で反省したり批判されたり議論したりすることをそれなりに受け入れることができるけれども、この発想にはいくつかの弱みがある。まず、多くの人がそういう人間になることを望んでいるかというと、そうとは限らない。それに、考えを柔軟に改訂しようって、やっている人たちは、不安定さに耐えるだけの余裕がある人じゃないかということ。そして最後に、「その専門知のシステムに入って、柔軟に価値観や考えを反省していこう！」っていっても、そのゲームに参加するには、まず社会の価値観を身につけられないといけないのに、社会の価値観が尊重してくれるものの中に、私は該当していないかもしれないという感覚が拡がっている。

朱　そうですね。

谷川　これまでの議論ともつなげると、そういう疎外感を持っている人は、「自分が一番かわいそうだ」と感じるためのやりとりに終始してしまったり、陰謀論やカルトのナラティヴに染まることで他者とつながり「ここなら話を聞いてもらえる」と実感してどっぷり浸《つ》かったりすることが起こりうるわけですね。

こういう状況をどう打破するかというと、フィクションに可能性があるのかもしれない。マイノリティをテーマにした作品でない場合でも、そこに当たり前に多様な人がいることが感じられるような、会話や描写の細部が行き届いたフィクションには、社会化や包摂の可能性があるのかもしれない。だいたいそんなまとめでいいですかね。

朱　うん、うん。

谷川　朱さんが挙げてくださったのとは違う例では、「当事者研究」と呼ばれる潮流も、しんどさを抱える人たちがそれぞれの経験を理解し伝えていくための語彙を豊かにしようとしていると思います。東京大学の熊谷晋一郎《くまがやしんいちろう》さんは脳性麻痺《まひ》当事者ですが、健常者向けに作られた言葉がフィットしないから、「言葉のユニバーサルデザイン」が必要だという話をしていました（『当事者研究：等身大の〈わたし〉の発見と回復』岩波書店）。

たとえば、アスペルガー症候群の当事者である綾屋紗月《あややさつき》さんは、自分の空腹を認識できないから欲望や行動を立ち上げられず、空腹を感じてから食べようとすると極端な飢餓《きが》状態に陥ってしまうということがあったそうで。だから、機械的に何時に食べようと決めたんですね。「主体性」という言葉をもじって、「したい性」（空腹を感じて食べたいから食べる）と「します性」（正午になったからとにかく食べます）という二つの構えへと「主体性」概念をデザインしなおしたそうです（『つながりの作法：同じでもなく違うでもなく』NHK生活人新書）。こういう営《いとな》みを念頭において、「言葉のユニバーサルデザイン」と。

朱　なるほど。

諍《いさか》いを生み出す「疲労」、和解や合意につながる「疲労」

谷川　私たちはまともに会話も議論もしづらい社会に生きている。陰謀論者も、陰謀論を批判する人も、かなり単純な線引きをしたがったり、互いの愚かさを嘲笑していたりする。整った状況で、なめらかに話す訓練はしてきたし、罵倒や動員の言葉を繰り出せても、人の思いや事情に耳を澄ませる訓練は特に積んでいない。

一方で、すばやく断言や論破を連発するYouTuberに喝采を送り、困ったら検索して答えを探すようにして、世界を「一問一答」式に理解していく。他方では、社会の誰も自分の声を聞いていないと感じて、自分の理論を他人に押し付けるほどの勢いで話し込んでしまう。自分の経験を理解し、伝え、語り合うための言葉が社会にはないと感じていて、ここにアイデンティティの置き場所があると実感することが難しい。

それじゃあ、いったん事実から始めようとか、立ち止まって考えましょうとか、自分の考えを議論や改訂に開いていきましょうとか、そういう掛け声をすればいいかというと、この種の言葉遣いは有効ではない。こんな風に、困難についてばかり話してきましたよね。

杉谷　ええ。

谷川　なので最後に、少し論点をずらして考えてみたいんです。最近、ビョンチョル・ハンという哲学者の『疲労社会』（花伝社）を読んだんです。そこでは「疲労」が二つの意味で使われている。私たちは働きすぎだし、競争に追い立てられている。労働以外でもＳＮＳで他人と自分を比べる。そういう社会は、うつ病やバーンアウト（燃え尽き症候群）に人を追い込む。そういう「疲れ」が一方にある。めちゃくちゃ働いて、めちゃくちゃ競争に疲れて、心も摩耗《まもう》して、でも報《むく》われないみたいなタイプの疲れです。これは、たぶん誰もが感覚的に理解できる。陰謀論に向かったり、聞かれていないと感じたり、誰かをネットで叩いたりするときの背後に「疲労」があるとすれば、それはこれでしょう。

それに対して、「私たちの疲労」なるものがあるというんですね。変な言葉遣いですけど、これ全体でキーワードです。そもそも、先に説明した方の疲労は、私たちの結びつきを壊すような疲労です。『疲労社会』では、視界には自分しかおらず、まともに見ることも話すこともできなくなり、人々を仲違《なかたが》いさせてしまう疲労だと説明されています。その逆の疲れが「私たちの疲労」。つまり、「私たちの疲労」は、妙なプライドとか我《が》の強さが減ってくるタイプの疲れだというんですね。私たちを和解させる疲労だとも言われます。

『疲労社会』ではあまり例が挙げられていないので、私なりに二つ事例を挙げます。むちゃくちゃ長時間の会議ってあるじゃないですか。そういうのって、往々にして、序盤にまとまりかけた案に立ち戻って、「ほなこれで」ってまとまったりしますよね。数時間にも及ぶ会議の中で、それぞれのメンツやプライドがそのうちどうでもよくなってきて、「よくよく考えたし、もうこれでいこか」みたいな感じになる。そういうのが、たぶん「私たちの疲労」なんですよ。長丁場すぎて、党派的対立とかどうでもよくなってくる。でも、そういう和解や合意に至るためには、いったん疲れないといけない。みんな一緒に疲れ切った先に、はじめて手を取り合うことができる。これ、結構面白い話やなと思って。

朱　面白い。

谷川　これは、一問一答や論破みたいな突破力もないし、効率性もない。むしろ面倒くささの塊ですよね。疲れてしまう。でも、そういう疲労が伴うプロセスがあるからこそ、辿り着くことのできる連帯や合意だってあるんじゃないかと。「ああ、もう疲れたからそろそろ手を結ぼうか」って思う、そういう疲れ。

もう一つは紛争解決。昔読んだ本にあった話なんですが、戦闘が起こり始めてすぐはどうやったって紛争は解決できないというんですね。だから、「何のために争ってたんやっけ」となるぐらいまで互いが疲れ果ててはじめて、対話の糸口が生まれてくる。バトルモードのままだと、話し合おうとしても「お前はこっちの陣営だろ」「あっちの陣営に取り込まれるな」とか、そういうプロパガンダ合戦になっていく。こういう党派的で動員的なコミュニケーションを超えるには、散々やりとりした末の疲労しかないんじゃないかと思ったんです。

「私たちの疲労」が生まれるには長いプロセスが必要だから、これは、何か性急に結論づけずに、わからない状態のまま本質に迫ろうとするネガティヴ・ケイパビリティの一つのあり方だと言えるかもしれないなと。

リモート会議で「私たちの疲労」は生じない

朱　面白いですね。まだビョンチョル・ハンを読んでいないのもあって、谷川さんの意図と合うか聞いてみたい。「私たちが疲れる」というときの「私たち」って括《くく》りが面白いなと思って。

――ですよね。その「私たち」って何なんでしょう。

朱　それって、同じアイデンティティを共有することによって成立する「私たち」とは違いますよね。

谷川　まさに。「この性質、この思想、この価値を共有しているから、仲間だぜ」みたいなノリではないです。あらかじめ成立している仲間ではなくて、同じトラブルや対立の中にたまたま含まれた人たちみんなを指しています。

朱　そのテンポラルというか、その一瞬に立ち現れる「私たち」って面白いですね。会議室でパソコンや資料越しに、ちょっと目を見合わせて「もう限界だよね」みたいな感じになるやつですよね。その名状しがたいものとしての「私たち」みたいなことが言われているのがとても大事だなと思って。

杉谷　そうですね。

朱　ただ、この「私たち」という感じをウェブで立ち上げるのは難しそうですよね。たとえば、リモート会議になったことで自由さの感覚が得られた部分がある一方で、制限を感じる部分がありました。今の会議の事例を聞いてその想像を羽ばたかせてたんですけど、リモート会議って、慣れた人と少人数で話す場合は、実は対面とあまり変わらないところがあるけど、大人数会議だとそうはいかない。リモート会議って、発言者の名前表示が出てくるし、しゃべるたびにその人の顔が大きく映される。この体験って、一〇人とか入るようなそこそこ大きな会議だと、対面でやるよりも、属人性が高くなって感じられるんですよ。

谷川　「〇〇さんがこういう意見を言った」というように、「この人」がしゃべってる感じですよね。

朱　そうそう。リアルな会議で一〇人とかでしゃべってると、テンポラルな「私たち」という感覚が立ち現れやすいところがあるなと思うんです。そのときには別に誰にどんな責任の所在がある云々《うんぬん》ということは、さほど気にしない。つまり、誰がこの会議を招集して、誰がオーナーで、誰がこれをまとめなきゃということから離れて、みんなとして「もうこれでいいよね」という感じで、なんとなく合意することが起きやすい。でも、そういう空気って、なかなかリモート会議では作りづらかったりするなと思いながら話を聞いていました。

谷川　今回に限らず私たちの議論の随所でも、メディアとの付き合い方の話が出ていましたね。どういうテクノロジーでつながるかということも大事な問題。

社会環境を変えようとすることについて

杉谷　うまく話がつながるかわからないんですが、いいですか。以前ネットで、「学者は社会運動なんかに関わらずに研究しろ」と叩かれている研究者を見かけたことがあります。大学教員にとって研究や教育が本分だというのはその通りなんですが、たとえばいろいろな社会課題のせいで困っている研究者、マイノリティ当事者である研究者もいる。そういう人たちは、その問題を素通りできないから何らかの活動にコミットして、社会環境を変えていかないとそもそもいい研究ができないんですよ。

だから、この種の批判に衝撃を受けたんですね。「そんな活動なんてせずに研究だけやれよ」というのは、何もしなくても、そこそこやれる環境を得られているやつの特権的な発言なんですよ。その事情を想像していないことが衝撃的だった。当たり前のことかもしれませんがね。

谷川　なるほど。俳優のエマ・ワトソンが女性としてフェミニズムにコミットしていくのとかを叩く人がいますが、それに通じる話ですね。俳優は演技、音楽家は音楽、スポーツ選手はスポーツのことだけやっておけよというような。

杉谷　それはやっぱり間違いですよ。人は誰しも自分が生きやすいように生きる権利があるし、自分が置かれたいような環境に置かれて、そこで自分の能力を発揮する権利があるはずです。それがないがしろにされてて、しかも環境とか状況のせいで生じているなら、変えないといけないし、変えるために活動して行動する権利は誰にでもある。さまざまな困難が伴いますし、うまくいくことばかりではないのですが、私は変えたいと言ってる人の側に立ちたいと思うんです。

谷川　別の仕方で見ればマイノリティとしての性質があるとしても、少なくとも、男性という性別をあてがわれて育ち、大学で博士まで行って高度な知識と専門性を身につけているという二点においては、私たち三人はマジョリティですね。

杉谷　そうなんです。だから、そのことについて私自身が何を言えばいいのか答えが出てなくて、まだずっと迷ってるところです。苦境を生じさせている構造や環境を変えるために、どう関わればいいのかはずっと考えてて、やっぱりわからない。

谷川　でも、わからないからずっとそのままというわけにもいかないのが難しいですね。杉谷さんは一時期、俳優のホアキン・フェニックスが、英国アカデミー賞の授賞式（二〇二〇年）で受賞を喜びながらもためらった話をよくしていましたね。映画界に存在する人種差別をなくすために、自分たちが十分動いてこなかったんじゃないか、この環境を壊して作り替える責任は、私たちマジョリティにあるんじゃないかと、彼は受賞講演で語ったわけですが。

疲労に至るプロセスが「私たち」のナラティヴになる

朱　本業を取り巻く社会環境のための活動については、インターネットも大きいですよね。というのも、そういう活動の履歴がたとえばウィキペディアに全部載っていたりして、ある行動一つとっても、全人格的なものと周囲には受け取られてしまう。

何が言いたいかというと、たとえば、あるミュージシャンが何かの活動や運動に参加したとき、誰がやっているかではなくて、何をやっているか、何を言っているかを問題にしてくれと切り返したりするわけですよね。ただし、その活動への貢献は、その人が本業で培《つちか》った言葉遣いとか、大量のオーディエンスに対する影響力とかをベースにして成り立っているところがある。つまり、「その人」にしかできないことをやっているように、どうしても見えてしまうところがあるわけです。しかも、今のデータ環境だとログとして残り、すべて「その人」に紐《ひも》づいてしまう。

谷川　ウェブ会議の話もそうでしたが、情報技術は属人性を高めるところがありますよね。

朱　そうそう。全人格的な影響力を行使して何かを主張するということを今の環境ってみんなやりがちで、SNSで発信するってそういうことでもある。だから、スポーツならスポーツで培った名声を別の活動で活用するような属人的なアプローチを取りながら、対人論証を使われたらそれを批判するというのは、ダブルスタンダードだという気もするんです。一貫していないように見えてしまう。だから、情報技術を使う限り、「その人」というように個人の人格全体を意識することから逃れられないんじゃないか。

これは、キャンセルカルチャーの問題とも通じるんですよ。ある人の発言や行動が芋づる式に調べられていって、その人のすべてがそのイメージで捉えられていくわけじゃないですか。データベース化されてる社会において、本当に対人論法とか属人的なものじゃない形でフラットに意見だけを聞いて、党派を超えて「私たち」をテンポラルに立ち上げていくというのは、相当難しい。もちろん、オンラインゲームで一瞬ある人と深くまで話し合えるかもしれないし、そういう可能性はゼロではないでしょう。でも、基本的には、すごい難しいんだろうなと。

谷川　オンラインでは、立場やアイデンティティを脇に置いて一緒に疲れるということができないんですね。確かにそうかもしれない。オンラインの関係がもたらす「疲労」は、ビョンチョル・ハンの批判したような、心を追い込んだり、関係を分断したりする原因としての疲労でしかない。

朱　そう。ＳＮＳの炎上や論争でも、ネットで対立して言葉を交わす人に「私たち」という感覚が生まれるとは考えにくい。話を聞きながら今初めて考えたことですが、でもそうかもなと思って。

谷川　初めて思いつくことを提示し合えるというのはいい会話ができた証拠ですね。私も思いついたんですが、「私たちの疲労」の「私たち」は、合意に至るまでのプロセス自体がナラティヴになるから生まれるんじゃないかなって。「いろいろ対立や否定もあったけれど、少しずつ議論を重ねてきた」というように、長い話し合いのプロセス自体がナラティヴとして共有される。だから、「私たち」と言える。疲れるまでのプロセスが、党派や立場、アイデンティティを超えて「私たち」という共同性を生じさせるナラティヴになっているんだと思います。

杉谷　そろそろ「じゃあもうええか」という空気を作りますか。

谷川　これが、私たちの疲労ってやつか。（笑）

二回目の対話——2022/05/07

▼イントロダクション　地球を覆い尽くすアテンションエコノミー

バングラデシュのYouTube村

バングラデシュのシムリアという辺境の村が「YouTube村」と化していることで話題を呼んでいます。幾人かの人たちが協力し合って、「何百人もの人のために支度し、料理し、食事を提供する高齢の村人をプロのように撮影した動画」などをYouTubeに投稿しています（"How a YouTube channel is transforming a remote village in Bangladesh," Rest of World, 28 Feb. 2022）。チャンネル名はAroundMeBD。二〇二二年四月二二日現在のチャンネル登録者数は四二一万人以上います（以降の閲覧日も同日）。

大きなテーブルの上に、見たこともないくらい大きな皿や鍋がいくつも並び、種類ごとにきれいに盛り付けられた果物が並べられている。子どもたちがおっかなびっくり自分の上半身ほどの魚を持っている。山ほどのキャベツがサムネイルになっている。レシピを紹介しながらマサラグレイビーを作っている。給食や配給のような形でお皿を持っている子どもたちに順に配られていく。そういう映像が、このチャンネルには無数に上げられています。

当初は、村の日常を撮影していただけだったようですが、現在では月に数本程度の動画を計画的にアップロードする体制を整えています。YouTubeで得た収益は、動画機材等に使用されるだけでなく、村人たちが自由に食べることのできる食事を用意する資金にもなっており、その支度・料理・提供の様子が、また別の動画としてチャンネルに投稿されていくというループが形成されています。

YouTubeから得た収益によって、一七名の女性を含む五〇人ほどの労働者を雇用することができているそうです。動画に何度も登場している七〇代のシングルマザーは、シムリアの外に住んだことがなく、村の限られた区画で過ごすばかりの生活だったけれども、動画制作に関わることによって月に三〇〇〇タカ（約三五ドル）を得られています。そのおかげで、糖尿病の薬を買い、家族の食事を用意することができているとのこと。これは、インターネットがもたらしたポジティヴな景色と言えるのかもしれません。

AroundMeBDのような例は珍しいものではありません。アジアの村々では、見栄えのする料理・食事の風景をおさめたり、村の日常を紹介したりする動画チャンネルを持つことがよくあり、そのうちのいくつかは数百万人単位のフォロワーを抱えています。Village Cooking Channelは一六一〇万人、Village Food Secretsは三五八万人、少し毛色の違うところでは、「李子柒 Liziqi」というハイクオリティ映像で知られるチャンネルが一六八〇万人の登録者を抱えています。「李子柒」は、中国の田舎に住んでいるらしい若い女性が年越しの準備をしたり、食事の準備をしたり、散歩をして花を愛《め》でたりしているだけの映像なのですが、構図、色彩、解像度、ファッション、髪型、メイク、照明、音声、編集の端々にいたるまでが完成されており、短編映画を観たような心地になります（演出過剰とも言えますが）。

地球の隅々まで、辺境や無名の人を含め、あらゆる人にカメラやマイクが向けられており、すべての人がライターであるかのように言葉を饒舌《じょうぜつ》に交換している。こうした状況を指すのにぴったりの言葉があります。「アテンションエコノミー」（注目経済）です。アテンションエコノミーは、真偽やクオリティ、確からしさ云々といったこと以上に「注目が集まっている」ということ自体が価値を持つ社会・経済的状況を意味しています。

アテンションエコノミーは、一過性の流行として処理すべきものではないと私は考えています。というのも、経済学者のロバート・ライシュが二一世紀の幕開けとともに――つまりまだSNSがなかった頃に――人間関係や承認に関わる業界はニューエコノミーの時代に飛躍するだろうと推定したように、「注目」の経済は来るべくして到来したようにも思われるからです。

共感の時代と共感の危険性

広告やブランディングの文脈で、「共感の時代」という言葉がしばしば用いられます。ここでの「共感」は、さしあたりSNSでの「シェア」や「バズ」（情報の量的拡散）を念頭に置いたもので、やはりアテンションエコノミーに掉《さお》さす言葉だと言えます。「共感」という言葉にはなんとなくプラスの印象を抱きますが、実際のところ、共感はいい効果を持つばかりではないとの指摘もあります。

ヨハネスブルクで若者ギャングの更生に携わるアクティヴィストの永井陽右《ながいようすけ》さんは、国際貢献の現場で「共感」が求められる事情を踏まえて、共感されない人と共感を生めない人は取り残されるし、共感集めが自己目的化することもしばしば起こると指摘しています（『共感という病』かんき出版）。つまり、共感には可能性があるものの、集まり方に偏りがあるということです。ちなみに、共感に注目したデイヴィッド・ヒュームやアダム・スミスなどの哲学者は、共感のダークサイドについてすでに論じていました。何百年か越しに、SNSやインターネットというテクノロジーを介して、彼らが「共感」について論じたことに、改めて直面していると言えるでしょう。

上記のことを踏まえると、多くの人は「共感や注目の波から取り残されないでいたい」と望むはずです。この点を考える上で参考になるのが、社会学者のチャールズ・ライト・ミルズの議論です。彼は、フォーディズム（工業社会）からポストフォーディズム（サービス社会）へと移行するにつれてホワイトカラー層が増大したことに議論の照準を絞りました。ミルズによると、ホワイトカラーは、給料と引き換えに前向きで親切そうな「感じのいい」パーソナリティを売るのが仕事です。「人当たりのよさ」というと一見いろいろありそうだけれども、実際には、企業の管理と教育によって標準化されたパーソナリティを見せることを要求されることになるとミルズは指摘しています（『ホワイト・カラー：中流階級の生活探究』東京創元社）。

共感とは、プラスの注目のことです。市場や経営者層からの「感じいいパーソナリティ」への圧力が常態化した結果、労働以外のさまざまな生活の場面で「いいね」を求めることが習慣化していきます。そのとき、感じのよさをアピールしづらい性質を持っていたりすると、注目を十分集められない状況を不遇だと感じるでしょう。「かわいそうランキング」や「弱者男性」論などは、いかに共感されない自分が同情に値するかをアピールすることで、評価経済を勝ち上がろうとする戦略です。

しかし、こういうやり方は、社会のもともとの形が歪《いびつ》で不《ふ》均衡《きんこう》に傾いているという視点を欠いているように思えます。女性は、男性以上に「感じのよさ」への高いハードルを標準的に課されているのは確かでしょう。きれいな肌、整った髪、化粧が標準装備です。

> 友だちと会うときは、ベストな状態で会わなきゃと思っていましたからね。久しぶりに集まるってなると、かわいいと思われるようにその日に照準を合わせて、あらかじめまつげエクステをしたり、肌のコンディションを見ながら1日1回パックしたり、皮膚科に行ったり。〔……〕シミ、くすみ、そばかす、そういうのをなくしたくて、長い休みに入るたびに皮膚科がよいをして……それが当たり前だと思ってたんです。そういうふうにして友だちに会ってコスメの話、美容の話をいっぱいする。で、家に帰るとビューティユーチューバーの動画を本当にたくさん見るんです。1日1時間くらい。何人かのユーチューバーのチャンネルも登録していました。人によってメイク法ってすごく違うんですよ。(イ・

ミンギョン『脱コルセット：到来した想像』タバブックス）

この女性が男性として生まれていれば、この種の「当たり前」が埋め込まれる可能性がどれくらいだったかを想像すれば、その非対称性は伝わるでしょうか。

こうして女性に課される「感じのよさ」や「ルックス」への縛りつけは、韓国では「コルセット」と呼ばれており、そこから距離をとろうとする「脱コルセット運動」まであるくらいです。この女性から聞き取りを行った著述家のイ・ミンギョンは、彼女の言葉に続けてこう述べています。「ほとんどの女性が、『規範的女性性』と自分を一致させようと努力をしながらも、羞恥心《しゅうちしん》を感じずにはいられない。規範的女性性というものは、そもそもピッタリ合致させるのが困難なほど、狭く小さくできているからだ」（同書）。もちろんここに、社会学者アーリー・ホックシールドの「感情労働」論を付け加えることもできるでしょう（『管理される心：感情が商品になるとき』世界思想社）。

苦難に立ち向かう人を楽しむ私たち――映画「魔女の宅急便」

共感や注目の話をするとき、私はいつも映画「魔女の宅急便」（一九八九年）を思い出します。「魔女の宅急便」は、主人公のキキが親元を離れ、ある街のパン屋の屋根裏を間借りし、箒《ほうき》にまたがって配達の仕事をするようになるというストーリーです。キキは、あるとき急に魔法が使えなくなり、これまでできていたことができなくなって落ち込んでしまいます。私たちにとって興味深いのは、クライマックスでキキが再び飛ぼうとする瞬間を街のみんなが見守り、老若男女がキキに声援を送っていたことです。窓越し、あるいは周囲で声援を送っていた人もいれば、キキが飛んで助けようとする姿はテレビ中継されていたので、画面越しに彼女を応援していた人もいました。

この映画には、「おちこんだりもしたけれど、私はげんきです。」という糸井重里《いといしげさと》の名コピーがついています。この言葉が潜在的な視聴者への売り文句になっていることからもわかる通り、メディアイベントとしてキキの復活劇を楽しんでいた作中の人々は、映画の視聴者（私たち！）と重ねられています。キキが今一度元気を取り戻す流れ自体は非常に心温まるのですが、年端《としは》もいかない子どもが自分のアイデンティティを見失い、思い悩んでいた状態から脱しようとするプロセスを、一種の娯楽として――応援消費として――楽しんでいることにどこかグロテスクさがあることも事実です（ラストシーンをメディアイベントとして捉え、視聴者と重ねる議論については、河野真太郎《こうのしんたろう》『戦う姫、働く少女』堀之内出版を参考にしました）。

誰かが、自分の感情や生き方を、自分のアイデンティティを巻き込んで動いているさまを、一方的に観賞して、私たちはそこから励ましを得たり、元気を得たり、癒《いや》しを得たりするわけです。場合によると、そうした姿を好きに論評したりしている。でも、当人はメディアイベントの視聴者のために苦しみ、悩んでいるわけではありません。苦難や不幸は見世物ではありません。キキがアイデンティティに悩んだり、誰かを助けて苦闘したりしたのは、私たちに「見せる」ためではないのです。

次のように問うてみたら、人が不幸から立ち直るプロセスをメディアイベントとして楽しむことの居心地の悪さに気づくかもしれません。キキが落ち込み続け、苦難の中に居続けたとすれば、彼女は「応援」に値しないのでしょうか。キキはどうしてもポジティヴでいるべきなのでしょうか。立ち直るために、うまくいかないことへの憤りや悲しさを押し殺さねばならないのでしょうか。そうした側面を見せると「感じのよさ」がなくなるので、メディアに映っている限りは隠し通すべきなのでしょうか。

誰かが立ち直ったり、苦難を脱出したり、悩みを解決したりするプロセスをエンターテインメントとして消費することには、（たとえ視聴者にそういう意図がなかったとしても）困難は必ず解決せねばならないし、感じのいいパーソナリティへと至らねばならないという呪いを当事者にかけます。画面越しにキキを見ていた人は、仮にキキが魔法を再び使えるようにならず、人助けし損ねていたら、ため息くらいはついたことでしょう。暗に、視聴者の想像通りのポジティヴな帰結へと至るべきだという圧力が生まれてしまいます。注目の集まらなさと同時に、注目の（意図しない）集中もまた人を苦しくさせるものです。

共感と注目の時代における「ネガティヴ・ケイパビリティ」

ネガティヴ・ケイパビリティは、他者理解において重要な役割を果たします。素朴な言い方をすれば、ちゃんと相手を理解したいと思うとき、手頃な共感でなんとなく処理するのではなく、「私はわかっていないのかもしれない」「理解しきれていないかもしれない」と考えることが必要です。

アテンションエコノミーという言葉で名指されている、粗野な注目は、実際のところ、「相手のことを深く知りたい」という好奇心や優しさの発露ではないでしょう。ソーシャルメディアで語り見せる私たちの姿は、繊細に注意深く言語化された、多面的で陰影あるものではないでしょう。「注目」や「共感」の渦に巻き込まれた私たちは、他者も自分も十分理解するつもりがないかのようです。

いったん祭りのように応援したら「キキ」のことはすぐに忘れて、また別の「キキ」に関心を向けていく——。ここに何か危うさを感じざるをえません。今回の対話では、「アテンションエコノミー」をキーワードに、どのようにすれば、その危うさから距離をとることができるか、あるいはそれがどれほど難しいのかという点について議論します。そのことによって、どうすればネガティヴ・ケイパビリティを確保することができるかを明らかにしたいからです。

（谷川嘉浩）

第3章　「アイヒマンにならないように自分の頭で考えよう」という言葉に乗れない理由

――コンサンプション（消費）、アテンション（注目）、インテンション（意図）

注目は特定の「キャラ」を強いる

谷川　イントロの最後に書いた、「魔女の宅急便」の話から始めさせてください。映画の終盤では、飛行船が墜落しかけているとき、そこにいる人をキキが助けようとするのを、みんなテレビ中継とかを介して応援するという描写があるんですね。ここで「キキを応援する市民」の姿は、この映画の視聴者と重ねられているところがある。しかし、キキが立ち直って魔法を使えるようになるのは、テレビ中継を見ている人の感動のためではないわけですよね。

あれは成功したから美談ですけど、仮に成功していなかったら、つまり魔法が使えないままだったとすれば、たぶんめちゃくちゃ叩かれたか、そうでなくてもため息くらいはつかれたと思うんですよね、キキは。そう考えると、応援だろうと推しだろうと、実際のところ期待や注目は暴力的なところがあると言えるわけですね。つまり、注目は、期待によって人を縛ってしまうところがある。

杉谷　なるほど。

谷川　この「期待」という論点を少しずらして話してみたい。社会学者の土井隆義《どいたかよし》さんの『キャラ化する／される子どもたち：排除型社会における新たな人間像』（岩波ブックレット）という本があるんです。これがかなり示唆《しさ》的なんですね。価値観や判断基準が多様化している状況で、かつ、コミュニケーションを衝突なく円滑に回し、穏やかな人間関係を築こうとするとき、キャラ化という手段が用いられてきたという議論が展開されています。

　ここでいう「キャラ」というのは、自分をデフォルメするということ。本来自分が持っている人格の多面性を切り詰め、その関係性の中で要求されている役割に即して自分や他人が動くようにという規範が働いている。そういうキャラ付けする／されるコミュニケーションが、若者のベースにあるんじゃないかという話です。これ結構面白い話だなと思って。

　土井さんの推定では、ノンバーバルな情報が出て来づらい、つまり、表情や声色、目線などの情報が見えづらいインターネットを介したコミュニケーションが支配的になった結果ではないか、と。多様性が高く、互いの会話の予測が立ちづらいからこそ、予測可能な「キャラ」に落とし込む、というんですね。

　作家の新城《しんじょう》カズマさんは『ライトノベル「超」入門』（ソフトバンク新書）で、キャラクターとは、「こういう状況ではこういうことをするだろう」という確率分布の束だと整理していますが、そういう形で予測可能な配役に互いを落とし込んで、円滑なコミュニケーションを回していこうとしている。

ジェニファー・ローレンスはアテンションエコノミーの被害者？

谷川　もう少し説明続けていいですか？

朱　どうぞどうぞ。

谷川　ありがとうございます。この論点を考える上で印象深いのが、Netflixで公開された映画「ドント・ルック・アップ」（二〇二一年）に大学院生役で出ていたジェニファー・ローレンスです。ジェニファー・ローレンスは、「ハンガー・ゲーム」（二〇一二年）でブレイクした俳優なんですけど、その後もヒット作にあれこれ出ていてすごく親しみやすい映画スターとして認知されています。

朱　「ハンガー・ゲーム」での登場の仕方が「その辺の若者」という感じで、親しみやすい俳優だというイメージが形成されたんでしょうね。

谷川　そうだと思います。「最も一緒にビールを飲みたい俳優」みたいな位置づけらしいです。そういう身近な人としての役割を期待されている人だった。でも、彼女は「ジェニファー・ローレンスである」という期待に沿って仕事をしようとしすぎて、バーンアウトしてしまったらしいんですよ。
　自分に対する注目度が高すぎてどこにも逃げ場がなくなって、自分の人生がないと思うようになったという話を、雑誌『ビッグイシュー』のインタビューで語っていました。このエピソードは、アテンションエコノミーのもたらす暴力性をよく表しているなと思います。アテンションの集中は、必ず特定のキャラづけをもたらす。特定の期待に沿って動くよう強いるところがある。キャラとして消費（コンサンプション）の対象になってしまうということですね。

杉谷　あえて批判的な話をしてみますと、こういうキャラ付けや期待の話題になると、「いや本当の私はこうではなくて……」みたいなことを言う人が多いですよね。私自身も自分でキャラを作って生きているところはあるので気持ちはわからないでもないです。でも、ジェニファー・ローレンスも、特定のキャラ付けをされることによってかなり得していますよね。
　要するに、自分のキャラ付けで、その人はスターになっているわけです。なので、キャラ付けから来るしんどさは、スターになることと切り離せないということは否定できないと思うんです。もちろん、だからといっていろいろな不合理とか不幸をすべて背負うべきだと私は思わないけれども、そういう面を同時に語らないとフェアではないという気がどうしてもしてしまうんですね。それについてはどう思いますか。

谷川　確かに、ジェニファー・ローレンスはアテンションエコノミーの世界においてトップランカーなわけですからね。そういう面はあると思います。実際、彼女はそのしんどさに耐えかねて、一度仕事を中断している時期があるんですね。その間、俳優やセレブリティとしての仕事をせずにNPOにコミットしたりしていた。そこでバーンアウトからの回復の時間をとった上で仕事を再開し、再ブレイクしたのが「ドント・ルック・アップ」だったということみたいです。

杉谷　なるほど。だから、やっぱりそこは両方、コインの裏表な気がしますね。

『ゴールデンカムイ』と「文化の消費」問題

杉谷　少し話を拡げると、これは文化盗用の問題にもつながりますね。カルチュラル・アプロプリエーション。二〇二二年に完結した野田《のだ》サトルさんの『ゴールデンカムイ』(集英社)は、アイヌ文化を描いていますね。

谷川　当事者であるアイヌの人たちは、『ゴールデンカムイ』について、かなり複雑な反応を示している印象ですよね。好意的な人もいれば、そうでない人も。

杉谷　キキもジェニファー・ローレンスもそうですが、アテンションエコノミーは注目によって人を「消費」するという話ですよね。実際、あるニュース記事ではアイヌ当事者の人たちが「消費されている」という懸念《けねん》を表明していた。マイノリティ文化を扱う以上、そういう面がないとはいえないと思います。

谷川　難しいところですよね。『ゴールデンカムイ』のファンの一部が、好意的な当事者の声だけを聞いて、それでもって批判的な当事者や、その懸念に共鳴するファンの声を封殺しようとしていました。私も『ゴールデンカムイ』は好きで読むんですが、一部のファンから「自分にとって都合のいい当事者の声だけが本当の当事者だ」というような扱いを受けるのを見ると、何かいろいろおかしいと思います。

杉谷　本当に。ただ、難しいのは、ここには昔から指摘されているジレンマがあるんですね。なんというか、私はアイヌ文化についてはは不案内なので、私も寮生だった京大の自治寮である「吉田寮」を例にしますね。

京都大学の学生街である百万遍《ひゃくまんべん》のカラオケ（ジャンカラ）に、吉田寮をモチーフにしたルームができたんですね（二〇二一年）。大学からは抑圧されてなくなってしまった、タテカン（立て看板）や自治寮の雰囲気を楽しめるカラオケルームを作ったよ、と。それに対して、寮に住んでる人たちとかいわゆる活動をしてきた人たちは、「文化の消費だ」ということですごく怒ったということがありました。

文化の消費か、文化の盛り上がりか

杉谷　文化の消費という面があるのはその通りだなって思う半面、でも実際今はもう京大にはタテカンはないわけですね。そういう意味で、タテカンがあった時代を作り出してくれている空間に感謝すべきだという意見もある。私は、両方の言っていることがよくわかるなと思ったんです。

これは、吉田寮生だった私が言うことなんですけど、その吉田寮とかそういった大学の自治寮文化を、京大生的ノリみたいなものを消費するのは駄目だと言っている人が多い一方で、さっきのジェニファー・ローレンスと話は一緒で、そうは言っても、吉田寮生や吉田寮も、かなり注目が集中することでメリットを得てきた面も否定できない。そこは同時に考えないとフェアではないんじゃないかという思いがずっとあるんです。

朱 文化が盛り上がりを見せること、消費されることが区別しづらくなる局面がある、と。

谷川 写真集（『京大吉田寮』草思社）や事典（『京大的文化事典：自由とカオスの生態系』フィルムアート社）も出たし、ＮＨＫでドラマ（二〇一八年）や映画（二〇二〇年）にもなりましたよね（「ワンダーウォール」）。自治寮で大学当局ともめたときは、よく新聞記事にもなっていました。

朱 そこを常に同時に見たいという気持ちは私も共有します。

谷川 補足なんですが、タテカンは自治寮だけの話ではなくて、サークルなどが普通に作っていたんですよね。私もサークルの勧誘や演奏会の告知などのためにタテカンを作った経験がありま す。タテカンが京大から消えたとき、こんなに簡単に慣習はなくなるんだな、タテカンがなくなるだけで大学は殺風景に見えるんだなって思った記憶があります。

杉谷 話を戻すと、これは社会運動とかが長年直面してきたジレンマですね。注目を集めないと大きなうねりを生み出すことはできない。けれども、多くの人の注目を集めようと思ったら「消費」されるような、わかりやすいもの、カリカチュア化されたものになってしまい、結局、本当の意味での当事者の人たちの生活の改善、あるいは差別の撤廃にはつながらない。このジレンマはずっと昔からあって、まだまだそれに答えは出てないのかなと。

谷川　『ゴールデンカムイ』と前後してアイヌの歴史や文化に関連する一般書の刊行や再刊が相次ぎました。岩波文庫の『アイヌ神謡集《しんようしゅう》』なんて、決してエンタメ的な楽しさはないのに増刷されている。意欲のあるファンの手は、新書だけでなく、そういう地味なところにまで伸びているんですよね。他方で、マジョリティが描いてマジョリティが消費しているし、キャラ化された表現を通じてヒット作となり、一つの定型になってしまったことに思うところがある当事者がいることも間違いない。こういうジレンマは、東日本大震災や原発・放射能関係の風評被害でも問題になりましたね。話題になればなるほど……という。

杉谷　おっしゃる通りですね。注目を加速させるＳＮＳの発展によって、このジレンマがますます苛烈《かれつ》化しているのかなという気がしています。

ゴールドハーバーの「アテンションエコノミー」論

朱　ちょっと言葉の整理を兼ねて、ビジネスの観点から、僕なりに話したいと思います。アテンションエコノミーって、結構幅広い使われ方をしているので曖昧《あいまい》なんですけど、対義語を設定した方がわかりやすいと思うんですね。その対義語というのは「インテンションエコノミー」ということになりますが、順を追ってお話しします。

アテンションエコノミーという用語自体は、マイケル・ゴールドハーバーという学者が九〇年代に使い始めたんですけど、要は、インターネットによって情報量が爆発的に増加し、相対的に情報の質が低下していく中で、その情報自体の良し悪し以上に、どうキャッチを取るかということのほうが大事になってきてるよという流れのことだった。

情報爆発を背景にしたアテンションというのは、つまり、意図（インテンション）をもって何か考えて動くという話ではなく、反射的なアクションを集めていくこと、たとえば、ニュース記事の見出しだけでクリックさせようとすることですよね。だから、考え込ませ、丁寧に意図を形成していくよりも、とにかく多くのリアクションを集めることがインターネットの経済においては重要になっている。具体的には、たとえば1クリックが閲覧数になって、閲覧数がそのまま広告収入になるという形で、ユーザーを脊髄《せきずい》反射させることのほうが儲かるという構造が拍車をかけている。こういうわけで、どんどん人のアテンションを取り合うことが経済のあり方になっているよ、というのが、もともとの「アテンションエコノミー」の意味合いですよね。

谷川　なるほど、そうですね。

朱　この話と、谷川さんがおっしゃっていた、ジェニファー・ローレンスのような俳優・有名人の見せ方・描き方の話は確かに関係しています。有名性の分だけ、その人の情報量は圧倒的に多い上に、公認マークは付いているかもしれないけど、私たちと同じアカウントを持って、同じタイムライン上で発信するような形で接することができる。つまり、リアルな接点は到底持てないはずの有名人相手でも、SNSならコンタクトも取りやすいし、リムーブするのも簡単だし、炎上させたりデマを流したりするのも簡単なわけですよね。だから、有名人の側もよりアテンションを意識した立ち居振る舞いをしなきゃいけないし、その中では単純なシンボル化をしなきゃいけない傾向は、以前より増してると思うんです。

谷川 キャラ化の話ですね。注目による利益と消費のジレンマについてはどうですか?

朱 この話と、杉谷さんがおっしゃっていたアテンションエコノミーにおける利益の取りやすさという話も確かに関連しています。文化盗用(消費)の話からは逸れるのですが、別の仕方でアテンションエコノミーの功罪、メリット・デメリットの話をしたいんです。

注目を引っ張るとブランドが毀損《きそん》されやすい

朱 ビジネス界で、アテンションエコノミーが全盛になったと言われているけれども、実際には、今起きてることは「アテンションエコノミー一辺倒にすると、焼畑農業みたいになっちゃうよ」ということです。少し単純化すると、アテンションを取り続けるって、常にその新規のお客さんを取り続けるみたいな話なんですよ。アテンションを集めることに最適化するなら、たとえばタイトルや見出しで煽《あお》ってリンクを踏ませればいい。で、実際にはタイトルや見出し以上の面白さが来ることは特に約束されていないから、がっかりする前提なんです。それでも、引っ張ってクリックさせたら、広告料が取れたりする。

これを繰り返していくと何が起こるかというと、そのブランドやメディア、商品などの信頼度が毀損《きそん》されていく。だけど、常にインターネット上の膨大な数のユーザーというか、膨大な数の人々が行き交っている中では、アテンションを取り続けるという戦略が、ある種、最適解になるわけですよね。しかも、私たちが今度やるイベントに関わることですが（「エビデンスって食べられますか？」B＆B、二〇二二年五月二二日）、エビデンスというか、全てが計測できる、全ての行動ができるインターネット環境においては、アテンションマックスにすることが勝ちパターンになるというのがあったわけです。

谷川 DeNAによる医療・健康系のキュレーションサイトだった「ウェルク」（WELQ）なんかはその典型ですよね（二〇一六年頃問題になり閉鎖された）。パクリ記事もあったそうですが、健康や生死みたいな繊細な話題で、嘘やオカルト（幽霊や守護霊など）で不調を説明する「医療」の記事を量産し続けていた。コンプレックス広告（肥満、薄毛、シミなどといった外見的特徴を露骨に強調したり、不安を煽ったりする広告）なんかも、「アテンション全振りが勝ちパターン」の路線ですね。

朱 まさにそうです。アテンションエコノミーの提唱から十何年後には、アテンション集めが過剰になるとブランドが毀損しちゃうという話が生まれて、それと軌を一《いつ》にするように出てきたのが、ドク・サールズ『インテンション・エコノミー：顧客が支配する経済』（翔泳社。原著は二〇一二年）。アテンションエコノミーへのカウンターとして話題になりました。「ビジネスって、アテンションだけだと長続きしないよね」という話に、当たり前ですけどね、なっていったと。

杉谷　そこがつながるんですね。

朱　そうです。この話は、やっぱりアテンションを取ることでメリットを享受した人って、アテンションの生じさせるしんどさも享受することになるという杉谷さんの話に重なってくる。反射的なアクションで引っ張られた人たちからは、飽きられたりがっかりされたりするし、すぐに感情的な反発を抱かれたりする。つまり、短期的にはいいんだけど、持続しないという根本的な構造的欠陥がある。アテンションエコノミーに乗って生きようとするとき、このメリットとデメリットの両方を引き受けざるをえない構造になっているんだと思います。

インテンションとアテンションという対立構図

谷川　「アテンションエコノミーはやばいから、インテンションエコノミーで行こう！」という単純な話にもできないですよね。意図を形成する（＝判断や選択をする）コストがかかるので。

朱　それは本当にその通りで、言うほど簡単じゃないんですよね。インテンションエコノミーって、「顧客はちゃんと考えて選んでください」って前提がある。これって、めっちゃ認知的なコストを顧客に強いる行為なんですよ。「直感的に選んでください」じゃなくて、「考えた上で選んでください」というわけだから、これはこれですごくハードルが高いものになってしまったりする。

整理すると、あまりにアテンションに行きすぎたことの弊害が出すぎているから今インテンションに振ろうというのは、インターネットビジネスをはじめとしてビジネス全体の大きな流れになりつつある。でも、インテンションエコノミーが、持続可能なものとして成り立つかというと、それは認知的負荷が大きくてなかなか難しい。

たとえば、一個一個、同意を取ってやりましょうという流れは、インテンションへの揺り戻しとして理解できます。二〇二二年四月一日に、改正個人情報保護法が施行されました。そのタイミングで、ユーザー規約とか、プライバシーポリシーとかが更新されているケースが多いので、「なんか新しくポップアップが出てきて、同意してくださいってやたら言われるな」と思ったかもしれませんね。これは、コンセント（同意）を都度細かく取っていこうということで、それは一見いいことなんですけど、めちゃくちゃ面倒なことでもある。

谷川 同意や自己決定の話は、むちゃくちゃ重要なので、また後で取り上げたいですね。

朱 そうしましょう。まとめるとこんな感じです。アテンションエコノミー自体の功罪は、だいたい目に見えてわかってきた。インテンションエコノミーという代替案も出てきている。でも、それだってインテンション一辺倒でやればいいというものでは全くない。ビジネスの用語で整理すると、だいたいこんな構図が作れるんじゃないかなと思います。

杉谷 めちゃくちゃわかりやすい整理です。今の話、民主主義の話とも関係してきますね。

谷川 ね、本当に。市民に熟議し反省し続けることを要求するか（＝インテンション）、印象的な言葉で盛り上げて人気をとるポピュリズムか（＝アテンション）という論点としても聞けますね。

杉谷　うん。世間的に言う「リベラル」は、インテンション民主主義派ですよね。

谷川　熟議民主主義を尊重するというのは、「自分で意図を形成しよう」（＝調べて考えて選ぼう）ということですからね。

「アイヒマンにならないように考えよう」はできるのか

杉谷　アドルフ・アイヒマンという、ナチスドイツでかつて大量虐殺に加担した幹部がいました。今ちょうど、アイヒマンに関する本を読んでいて、いろいろと思うところがありました。

谷川　事務方のね。ユダヤ人を強制収容所に効率的に輸送する、いわゆるロジスティクスを担当していたんですよね。そのためのシステム作り、部門ごとの縦割り体制を突破して、目的を効果的に遂行《すいこう》するための核心的な枠組みを作った人。

杉谷　彼は戦後南米に逃亡していたけど捕まって、一九六〇年にイスラエルで裁判を受けた。裁判の場で、アイヒマンに対して「なぜあなたはあんな虐殺をしたのか」と聞くと、彼は「いや、あれは命令されただけだ」「自分の仕事のことしか知らない」と言い逃れをして、当時の人たちはすごく大きな衝撃を受けるわけですね。ナチスの大幹部の生き残りなのだから、残忍な反ユダヤ主義者、冷徹なレイシストを想像していたけれども、出てきたアイヒマンというのはいかにもみすぼらしい、どこにでもいるような小役人に見えた。裁判を傍聴していたハンナ・アーレントは、「悪の陳腐さ」と呼ばれる議論を展開していく。

ただ、補足しておくと、実際にはアイヒマンは、根っからの反ユダヤ主義、レイシストで、かなり常軌を逸した人物だったということが最近の研究では明らかになっています。だから、イスラエルの法廷でのアイヒマンは、完全な芝居ですね。

朱 最近出ましたね、本が。

杉谷 そうなんです。二〇二一年に翻訳された『エルサレム〈以前〉のアイヒマン：大量殺戮者の平穏な生活』（みすず書房）にこのことが書いてあります。でも、この話はいったん置いておくとして、もともとの論法に話を戻すと、ここにはインテンション派が好きな語り方がある。アイヒマンの答弁を引き合いに出しながら、「命令に従うばかりではだめだ」「言われたことに従順で、何も考えていないなんて……」と警鐘を鳴らす。政治学者もやりがちで、「自分の頭で考えている、ちゃんとした市民になりましょう」と言ってしまう。

谷川 前回の話と通じる話ですね。陰謀論者の勤勉さを見ればわかるように、「自分で調べ、考えればいい、それでアイヒマンでなくなる」という話は単純すぎる。ネガティヴ・ケイパビリティという観点を持っていると、「アイヒマンにならないように考え続けよう」というオチの付け方が別の装いをした思考停止に見えてくるんですよね。

杉谷 朱さんの言葉を借りれば、インテンショナルデモクラシーとでも呼べるのでしょうが、「自分で調べて考えて選択するちゃんとした市民になろう」という構想を全面化するのは、どうも現実的ではないのではと思っています。そこで、いわゆる、ちゃんとした民主主義が提示する理想像に見合っていない日本社会を「前近代的だ」とせせら笑う議論を戦前の民主主義論以来ずっと繰り返してきた。

谷川　アイヒマンを引き合いに、民主主義論とアテンション／インテンションを重ねるのは、むちゃくちゃ対比が効いてますね。というのも、インテンショナルな民主主義論が自分なりに調べて考えることを要求するのと対照的に、アーレントはヒトラーの支持者たるアイヒマンの根にあるものを“thoughtlessness”、つまり「無思考」と呼んでいたんですね。これは朱さんの言葉を借りれば、好悪《こうお》はともかく、脊髄反射で閲覧数やフォロワーを稼ぐというときの、意図や意味の欠如とも重なってくる。「アイヒマンにならないために“thoughtful”な（＝思慮深い）市民になりましょう」という近代市民社会のプロジェクトを、インテンションエコノミーは、経済のレベルにおいて遂行しようとする試みとして理解できる。そううまくはいっていないわけですが。

杉谷　うん、うん。

行動データと確率で人を動かす時代

朱　この議論を別の角度から捉え直したい。道徳心理学者のジョナサン・ハイトの『社会はなぜ左と右にわかれるのか：対立を超えるための道徳心理学』（紀伊國屋書店）みたいな視点を念頭において二人の話を聞いていました。多くの学者にとっては不可解だったトランプ大統領の誕生も含め、なぜ私たちは極端に思える政治的立場を採ってしまうのだろうかということを、メカニズムのレベルで解きほぐす議論が、ここ一〇年二〇年の流行りですよね。それに、アテンションエコノミー論の底流には、ジョナサン・ハイトを含む行動経済学的な発想やボキャブラリーがあるわけですね。

杉谷 道徳心理学者のジョシュア・グリーンが書いた、生物学と心理学をベースに哲学や社会学を総合したような本があるんですが、それも同じノリでした（『モラル・トライブズ：共存の道徳哲学へ』岩波書店）。

朱 人間は必ずしも経済的合理性を持って動いているわけではなく、実は不合理なこともいっぱいしてしまうという人間観が行動経済学のベースにありますね。主流派経済学を修正するような役割を持っている。そこでは、理由や意図ではなくて、どんな行動をしているのかということから考えた方がいいという発想になりがちです。

なんでかというと、いろいろな端末のおかげでいろいろな行動がデータとして捕捉できる時代になったということが大きい。さっき話した「エビデンス」の話です。計測されたデータに基づいて、AとBどちらの行動が生まれやすいかという人間の心理とかメカニズムの話をした方が理路整然として見えるということなんですね。

だから、理論とか意図とかによって「こうなるはずだ」という議論を放棄して、「行動データ取っちゃえばいい」という発想と、「人間集団の行動は確率的にわかるじゃん」という発想を組み合わせたら、たとえば、どのタイミングでどんな介入をすればトランプ支持者がどれくらい生まれるかわかってしまう。そのアルゴリズム（計算や問題解決の手順や手続きのこと）を解析して、その方にレコメンデーション広告を出していくみたいにして、人の感情をハックして、政治的結果につなげていくということができてしまう。

谷川　ケンブリッジ・アナリティカ社の問題ですね。Facebookのユーザーデータを不正取得・利用して二〇一六年のアメリカ大統領選挙などに関わったと言われている事件を起こした。

朱　まさにそうですね。

杉谷　人の行動をデータで分析するといえば、ポリティカル・サイエンス、つまり定量的で実証的な政治学の研究があります。アメリカの話とつながるかわかりませんが、関連して最近の政治学まわりの話を少し。

いわゆるポリティカル・サイエンスの人たちは、たとえば日本維新の会を研究しようというとき、なぜ維新の支持がこんなに高いのか、あるいは、それがどういったタイミングで変動するのかといったことに関心があります。つまり、維新がどういう状況で投票先に選ばれるのかということが主要な論点で、別にそこに処方箋はない。彼らは実際の政治で維新をやっつける手立てを編み出すことを研究の目的としていないんです。でも、維新に対して批判的で、熱心に現実の政治に関心を持って、そこにコミットしようとしている人たちからすれば、本当に欲しいのはそういう話なのです。どうやったら維新の勢いを崩せるのか。しかし、全く別の問いをもとに維新を研究している人に訊《き》いても答えはもちろん出てこない。この食い違いによって衝突が起きる、というのが、うちの界隈《かいわい》ではよくあることです。

政治が分極化している。党派的な対立が激しくなっている。その対立は、こんな風に生じている。でもこの分断や対立はどうやったら修復できるのかというところを、こういう実証的なアプローチを採る人は、あまり書かないわけですね。分断のメカニズム、原因を解明することは熱心だけど、まともに議論し合えるだけの公共性を作り出すことにはあまり関心がないように見えてしまうんですね。もちろん、そんなことは必ずしもないわけなのですが。

第4章　信頼のためには関係が壊れるリスクを負わねばならない
——マーケティング、トラスト、脱常識

「9999人に嫌われても1人釣れればOK」のビジネスモデル

朱　少し話を戻したいんですが、インテンションエコノミーに相当するものは、サールズの本が出版される以前からあった。もともと、マーケティングリサーチでは好感度や認知度を調査で聞いていたんですよね。パネル調査と呼ばれるもので、日本だと出現率はだいたい1％ぐらい、つまり人口の1％ぐらいが捕捉できる調査パネルが複数あって、何かを提示して「知っていますか」「好感を持ちますか」「買ってみたいと思いますか」みたいなことを聞いていく。これってまさに「インテンション」ですよね。

谷川　顧客の「意識」を聞いていくという話ですよね。でも、行動データは、意識の水準を省いて人々の動きのメカニズムを解き明かせる。つまり、人の群れが明らかにする集団の「無意識」

みたいなものを取り扱っている。

朱　そう。それがインターネットの隆盛とともに、行動データが膨大に取れるという風になった。実際、たとえばｅコマース、ウェブショップでは実際に物を買ってくれたのかどうか、あるいはバナーやメッセージをＡとＢの二種類用意したときに、どっちをよりクリックしてくれたのか、いわゆるＡ／Ｂテストみたいなことが計測できるようになった。そして、閲覧数や実売数につなげていくためのＰＤＣＡサイクルを回していくわけですね。面白いのは、実のところ、パネル調査で買いたいと言っていたはずのものを、人は必ずしも選んでいないことが割とあることが明らかになっていったことです。

杉谷　なるほど。不思議な話ですね。

朱　不思議ではあるんですけど、でも考えれば当たり前かもしれない。たとえば、それが顕著に現れたのはいわゆる通販（ダイレクトマーケティング）の世界だったんですよ。この世界は真っ先にオンラインに対応したんですよね。オンラインで申し込んでしまったら、電話よりはるかに手軽ですから。だから、この業態が行動データを集めることの優位性に最も早く気づいていくんですね。

二極を想定して話をするとわかりやすい。まず一方には、極端なビフォーアフターの写真を見せたりだとか、あるいは「恐怖訴求」と業界では言うんですけど、「これを使わないとえらいことになっちゃうよ」と匂わせて不安を煽ったりだとか、そういうエグい広告。そして他方には、ウェルメイドな広告、つまり、「うちの商品はこんないいことがあって、世界観はこんなんで、こうやって手作りしていて」といわゆるブランド価値を訴える上質な広告。

ざっくり言うと、インテンション（意図／意識）を聞く調査だと、後者のウェルメイドな広告の方を「買いたくなった」「好きになった」と答える傾向が高いんですよ。なんだけど、実際に電話が鳴るか、商品が買われるかという話になると事情が違ってきて、大半に嫌われたとしても、何％か取れたらいいという世界なので、前者の恐怖訴求とか煽りの広告の方がうまく回ってしまうところがある。

正確に言うともっと、10％どころじゃなくて、通販とかダイレクトの世界は1％、いやマス向けの通販広告だと、もっと少なくて0・01％、つまり1万人に1人ぐらいが取れれば十分成り立つというビジネスだから、極端に言うと、9999人に嫌われても1人取れればオーケーという発想で回しているんですね。だから、「誰にも嫌われないけど誰も釣り上げられない」じゃなくて、「万人《ばんじん》に嫌われても1人釣り上げられる」方がいいという発想にどんどん流れてしまう。

谷川　なるほど。ビジネスモデル次第では、アテンションエコノミーのデメリットは無視できるものだったから、遠慮なくそちらに最適化していった人たちも多かったんですね。

アテンション獲得だけでは持続性がない

朱　行動データを集め、恐怖訴求の広告を洗練させていた辺りから、通販企業は、最初に買ってもらった顧客に継続購入してもらうようにシフトしていくんですね。一人のお客さんをつかまえるのに費用がかかっても、その人に二回目、三回目と買ってもらうときには広告費を使っていないわけで、二回目以降は「真水の儲け」になってくるわけですね。

谷川　そうか。今でいうサブスクリプション方式ですね。通販のテレビ広告だと、サプリメントとか、ウォーターサーバーでよく見る。

朱　まさにそうなんです。ここが面白くて、業界では「寝た子を起こすな」って言ったりするんですけど、やめるのも面倒なので、余計なことをしなければ継続してサブスク契約をしてくれることが多い。変に「今週はいかがでしたか」とかメールを送ると、逆にやめるきっかけになってしまったりする。

ところが、この「放っておく」というのが難しくなってくるんですね。基本セオリーでは、「最初どうにか引っ張って契約させたら、あとは放っておくのが一番いい」と。でも、新規の顧客の獲得が一段落したとき、さらに新規のアテンションを呼び集めようとして、もっとエグい恐怖訴求をどんどん増やされた時期があったんですね。そうすると、「気づいたら定期コースの人の解約がだんだん増えてきてるんだよね」ってことが起こり始める。

これは何かというと、自分の使っている商品があからさまにやばい広告を乱発していて、ブランドに対するロイヤリティ（忠誠心）が揺らぎ始めるんですよ。それで、定期コース解約につながってしまう。

谷川　ＳＮＳのフォロワーレベルでも、面倒なのでわざわざ外さないから、「寝た子を起こすな」論は感覚的にもわかります。

朱　あらゆるものに競合がある時代ですから、より魅力的な選択肢に流れていく。だから、ここで議論が一巡して、「やっぱり新規獲得のためだけに、どぎつい広告をやるよりかは、ブランドイメージを保つことを考えた方がいいんじゃないか」という風になってくる。もともと地上波テレビなどでは、広告表現への審査基準が厳格ですから、いわゆる通販的なCMはBS・CSや深夜帯などに限られていましたが、こうした背景もあって、近年はウェルメイド感を増したブランド訴求寄りの通販CMが地上波でも目立つようになりました。

テレビやラジオ、新聞のようなレガシーメディアは、CM考査のようなクオリティコントロール機能を果たすことができた。他方で、ネットメディアは、CM考査みたいな複雑な手続きや機能を持つコストを飛ばせたから瞬発的な成長力があったけれども、DeNAのウェルク然《しか》り、今その問題に向き合っているところがある。

行動経済学の言葉では「離れる」「やめる」「飽きる」を理解しづらい

朱　この点について、もう一つ大事だと思う論点があるんです。さっき言った「新規の方を取れたか・取れなかったか、いくらで取れたか、何パーセント買ってくれたのか」ということは全部数字になります。新規顧客を増やすという目標を掲げ、このエビデンスで管理する限りはどぎつい広告に行くのが合理的なんですけど、そうすると既存顧客が離れるという問題がある。
　で、このタイプの現象は、因果関係を行動データで計測することがすごく難しい。だって、既存客が離れていくというのは、介入と結果が一対一に紐づかないじゃないですか。「Ａではなく、Ｂのバナーにしたらクリック数が増えた、新規が増えた」みたいな形で新規の方は理解できるけど。やめる理由というのは、別に一個あるわけではなくて、だんだん嫌な思いが増えたりして、商品の継続注文頻度が落ちて、徐々に買わなくなるというように、どのスイッチを踏んだからそうなったかという形で紐づけられない。だから、効果検証が短期的には難しい。
谷川　ざっくり言えば「ブランディング大事」って話になるんでしょうけど、ブランドイメージ形成のための一つ一つのアクションのどれが効いたかどうかは確認しづらいですよね。
朱　おっしゃる通りで、中長期的に効いてくるもの、やっぱり長い時間をかけて浸透させるものって測りづらいからこそ、こういう局面で有効だと再評価されているところがある。そして、測れないから、人事などでも評価されづらいという問題もあります。つまり、三年ぐらいで部署や仕事内容が変わるのであれば、担当者レベルでは三年間えげつないことをしまくったほうが手柄は立てやすいわけですよ。「定期のお客さんを守りました」「離反率を少し下げ止めました」って話は、すごくわかりにくい成果なので、それをやったとしても人事評価には反映されにくい。そうすると、結局、アテンションエコノミーの論理に回収されて、この構造を維持する要因になっている。
谷川　すごく面白く聞いていました。スマホゲーム（ソシャゲ）も、行動データやエビデンスを使った最適化が行われている最前線ですね。スマホゲーム業界が、優秀な院卒理系人材のかなりの部分を吸収していたりして。エビデンスで最適化された結果の「えげつないこと」でいうと、いわゆるガチャで射幸心《しゃこうしん》を煽りすぎて規制がかけられた「コンプリートガチャ」（コンプガチャ）などがその一例でしょうか（景品表示法違反）。

細かなところでも、スマホゲームではA／Bテスト（異なる複数パターンのアプリやウェブページなどを実際にユーザーに利用させて効果を比較するウェブマーケティングの手法）が行われていて、どうやれば課金額やタップ数が上がるか、何がきっかけでユーザー数が増えるのか、どうすればユーザーにもっと頻繁《ひんぱん》にログインしてもらえるかといったことについては、企業ごとにかなり知恵がある。どうやってハマらせるか、新規を呼び込むかの知見は洗練されているわけですね。

しかし、どの介入によって人が離れないか、どうすれば人がやめないのかといったことについては、他の新規ゲームのサービス開始、不況などの社会的な変数を考慮しないと結局はよくわからないから、介入の効果が見えづらいという声をソシャゲ業界の人から聞いたことがあります。むしろ、課金量とか新規ユーザー数の方が取り扱いやすい。

行動経済学のような語彙《ごい》は、つまり介入と行動データの組み合わせは、「飽きる」「やめる」「離れる」といった出来事を理解することに向いていないのかもしれません。ゲーム研究で「なぜ人はゲームをやめるのか」を調べた論文もあるんですが、質問紙やインタビューなど「意図」や「意識」に照準を絞ったもので、インテンショナルなアプローチを採っていました。

インテンションでもアテンションでもない「ファンベース」

谷川　お話を聞いていて思ったことがもう一つあります。アテンションとインテンションの対立構図を聞いているときに浮かんだのは、そのどちらでもない路線のことです。かつてのAppleとユーザーのように、「出せば何でも即座に嬉々《きき》として買う」っていう顧客との関係性ありますよね。これは、インテンションベースの顧客に見えて、実はもっと宗教的な関係なんじゃないかなと思うんですね。「Appleのフィロソフィーに感銘を受けているから」みたいな。最近の言葉だと、「ファンベース」と言った方がいいのかもしれない（佐藤尚之《さとうなおゆき》『ファンベース：支持され、愛され、長く売れ続けるために』ちくま新書）。地域寄りの文脈だと、「里山資本主義」を思い出すのもいい（藻谷浩介《もたにこうすけ》監修『進化する里山資本主義』ジャパンタイムズ出版）。要するに、「ここなら大丈夫だな」という安心感と帰依《きえ》のやりとりができるコミュニティの形成です。

朱　確固たるロイヤリティ（忠誠心）を調達できる共同体ですね。

谷川　そうです。こういう強固なコミュニティを形成するというパターンもあると思ったんですよね。導入としては、インテンションだったのかもしれないけど、「このブランドのものだったらとにかく買います」という安心や信頼に変わっていくことがありうる。あるコンビニが特権的なロイヤリティを獲得することはなかなか難しいように、企業や業態、業界にもよるんでしょうけど、コミュニティの形成はブランドイメージを維持するときの一つの目標でもあるのかなと。そして、これはインテンションでもアテンションでもない。

杉谷　なるほど。

谷川　なぜこの話をしたかというと、ぐぐっとさかのぼるんですけど、ジョナサン・ハイトの話が出てきましたよね。『社会はなぜ左と右にわかれるのか』で掲げられた問いは、「リベラルは筋の通った正しそうなことを言っている、議論としても正しいように思える。でも一部からは強烈に人気がなく、人気が回復するようにも見えない。これはなぜだろう」というものです。そのことを理解するための道徳的基盤が六つ挙げられていた。道徳的基盤というのは、ケア・自由・フェアネスとか、そういう指標のことですね。

朱　ああ、そうでしたね。

谷川　六つの基盤のうち、保守にはあって、リベラルがカバーできてないものがあるんですね。それが、権威、神聖さ、忠誠心。リベラルは、それらに基づく言説を展開できていない、そういう道徳的な基盤を持つことができていないと。そこがよくないんじゃないかということなんですね。

ここでハイトが言おうとする「権威、神聖さ、忠誠心」に基づく言葉遣いって、私たちの文脈に引き寄せて言えば、自分の企業に確固たる信頼を抱くコミュニティを形成できた人たちがうまく使っている言葉遣いのことだと言えるんじゃないかなと思うんです。それに対して、「インテンションエコノミーだ、熟議民主主義だ、自分で調べて考えよう、あなたが決めるんだ」と、熟慮や熟議、自己判断や自己決定を促すアプローチは、「ファン」や「宗教的関係」という言葉で指し示したくなるような権威による魅力とか、忠誠心とかが入り込む余地がないですよね。権威主義がいいという話ではないんですが、考えるべき論点があるなと思って。

「善良さ」を示しトラスト獲得に熱心な企業

朱　「インテンションエコノミー」が「アテンションエコノミー」のカウンターで出てきたと話したんですけど、おっしゃる通り、「インテンション」は本当にカウンターとして機能しているのかっていう話なんですよ。これは、アテンションエコノミーに対する揺り戻し、つまり、昔の時代に戻ろうといってるのに近しい感じがする。

でも、パンドラの箱ではないですが、アテンションとか行動のデータによって、考えはさておき、実際に人がどう動くのかというメカニズムがわかってしまった以上は、「どう考えるかを大事にしようね」という世界に戻ることはできないという前提に立たないといけない。

谷川　そうそう。

朱　インテンションエコノミーが素朴過ぎるということで、いろいろ模索されて、二〇一〇年代後半にはだいたいの方向性のコンセンサスができたと思うんですが、それがまさに、谷川さんの言う「ファンベース」みたいなもの、つまり、広い意味での「トラスト」ですね。「このブランドが出してくれるから安心して買える」「ブランドが好きで信頼してるから、インテンショナルなことを考えなくてもお任せできる」という形で、ブランディングの重要性が語られる流れがあるなと思うんですね。このブランドへの信頼は、人格への信頼と似ているんです。

谷川　そうですよね。しかも、そこでいうトラストっていわゆる人間関係のトラストとはちょっと違うような。いや、同じなんでしょうか。

朱　そこが結構肝《きも》ですよね。僕自身もヘイトスピーチを「信頼を破壊するもの」と位置づける観点から信頼、トラストの研究に携わっています（小山虎《こやまとら》編著『信頼を考える：リヴァイアサンから人工知能まで』勁草書房）。まさにトラスト研究においても、人間以外のものへのトラストはどういうふうに説明するのって、結構議論があると同時にややこしいところです。人間への信頼は、その能力への信頼、意図への信頼、善良さへの信頼などが束になって生まれてくるものですよね。それに対して、もし企業あるいはブランドへの信頼が、人間への信頼と類比的に考えられるのであれば、企業の「能力」「意図」「善良さ」とは何かということになってくる。

たとえば、企業の「意図」がいかに説明されうるか。それは従業員の意図から合成的に出てくるのか、それとも創業者や経営者がそれを背負うのか。さらに「能力」はどう測るんだという問題もある。そうしたなか、いまとくに注目されているのは、企業やブランドにおける「善良さ」の示し方です。日本語でも「エシカル消費」を筆頭に「エシカル」（倫理的）という言葉がいかにもビジネスワードというべきカタカナ語として一人歩きしつつあります。

谷川　昔はミッション・ヴィジョン・バリュー（ピーター・ドラッカーが提唱した企業理念の三要

素）とかってね。今だとパーパスとか、フィロソフィーとか。こういう言葉で期待されているのは、本質的にはトラストですよね。

朱　まさにパーパスデザインとか、ソーシャルグッドとかSDGs（持続可能な開発目標）という話がいろんな、企業の大事なマーケティングの話になってきてる。昔よくあったメセナ（芸術文化支援）みたいな文脈ではなく、企業の経営上の課題の文脈、つまりトラストの獲得という文脈で、こういう話題が出てくるんですね。

研究者もアテンションを集めたい

谷川　ビジネスの話が中心になっちゃったので、少し話題を拡げましょう。アテンションを集めることは、私たち研究者も他人事ではありませんよね。建前として、研究者はどんな分野の人もアウトリーチをした方がいいという価値観を共有しています。アウトリーチは、外に手を伸ばしていくこと、つまり、専門分野を出て一般の人にも話し掛け、研究成果を社会に還元するということですね。一般向けの講演だとか、解説書だとか。

これは分野を問わずやるべきことだとされています。人文・社会・自然科学すべて。でも、現実にはアウトリーチが特別盛んな分野があって、それは、どちらかというと社会的には「役に立たない」というラベルを貼られている分野なんです。人文系もそうなんですけど、自然科学だと宇宙物理学なんかもそうですね。一般には研究成果が、すぐに実用性につながるものではない。

朱　なるほど。そこにアウトリーチするインセンティブが生まれてくるんですね。

谷川　そうなんです。「役に立たない」というイメージを抱かれた学問分野は、熱心にアウトリーチをして居場所を社会に確保しようとしているところがある。だから、往々にしてロマンや夢を売りにしたりもするわけですね。もちろん、研究者の多くは進んで、あるいは楽しんでアウトリーチをやっているわけで、動機を邪推《じゃすい》するべきではないのですが、動機とは別の水準でそういう構造的な要因があることは否めない。

そもそも、「〇〇は役に立つ／立たない」論って、専門家ではない一般の人が抱いているイメージなので、実情を反映していないんですけどね。宇宙物理学を修めた人がクオンツ（高度な解析技術を備えた金融のスペシャリスト）やデータサイエンティストになるなどといったことは珍しくありませんし。

話を戻すと、アウトリーチや教育の現場において耳目《じもく》を集めることで、社会に研究の居場所を作ろうとするということについて、杉谷さんとは以前イベントでもお話ししましたよね。その辺り、今一度どう考えているのか聞きたいんですけど、いかがでしょうか。

杉谷　難しいですね。研究者は、「わかりやすいストーリーに飛び付いちゃダメだ」とか、「もっとじっくり考えよう」とか言うわけですが、でもそもそも一定のアテンションを集めないと状況を変えることができないですよね。教育の現場でもそうです。

将基面貴巳《しょうぎめんたかし》さんの『従順さのどこがいけないのか』（ちくまプリマー新書）を、いま学部の一回生と一緒に読んでいるんです。これって、「アイヒマンみたいになっちゃダメだ」「従順ではいけない」という例の典型的な話法を使っている本なんです。この本そのものは民主主義のキホンの話をしていて、とてもいい一冊です。私も勉強になったのですが、読み進めていくうちに、ある学生が面白いことを言っていた。「この本を読んで従順じゃいけないと思ったんだけども、それは将基面さんに僕らが従順になっているということで、意味なくないですか」みたいなことです。インテンションや自律を促すメッセージは、常にこういう矛盾が生じてしまうんですよね。

もちろん研究者は人より物事を知っているから、そういうことを言う資格があると言えるのかもしれない。でも、そこに居直れないんですよね。こういう話をするとき、何目線で、「従順さはよくない」「自分で調べて考えよう」としゃべっているのか、私自身はわからなくなってくるんです。

権威は簡単にひっくり返る

杉谷　陰謀論者の話ともつながるんですけど、陰謀論者は、同じ言葉で学者連中の逆張りをするわけですね。「従順さはよくない、学者の言うことなんか信じちゃダメなんだ」みたいに言う。権威は簡単にひっくり返るんです。「学者とかマスコミっていうのは悪いやつらで、われわれを支配しようとしている」というストーリーが、一部では受け入れられている。だからこそますます、「従順さはよくない」「自分で調べて考えよう」と教育の場で伝えることにやましさを感じるんです。

谷川　そうですね。ファンベースのところで語ったように権威は大事だけど、権威はひっくり返る。現代社会のように絶対的な保証を与えてくれる権威がない状況だと、どの権威に頼るかを、商品を選ぶときのように自由に選ぶことができるわけで、「ちょっと違うな」ってなると簡単に乗り換えられてしまう。あるときは友人に「大丈夫やんな？」って聞き、Yahoo知恵袋や占い師に質問する。別のときには、大学の先生、テレビの評論家、ひろゆきのようなYouTuberを信じて……というように。

杉谷　学者や研究者の権威の源泉がどこにあるのかというと、批判に開かれた世界で高度に専門的な論文を書くという、学会を中心とする学問分野のシステムが与えた評価ですよね。いわば、学会の評価が保証している権威であって、世間一般に認められた権威だということには直ちにはなっていないわけですよね。

あるいは、博士号を授与するシステムもそうです。私たち三人はなぜ博士号を持っているかというと、それぞれ指導教員がいて、私たちの研究成果を評価しながら、その指導教員がその大学の中でちゃんと手続きをして、「この先生が出す博士号だったらいいか」とみんなが認めることで出されている。では、その指導教員がなんで博士号を出しているかというと、その指導教員にも指導教員がいて……という連鎖があるからですね。こういう連鎖の末端にいることで、私たちは研究者共同体に認められているんですよ。だからといって、「私は社会全体から権威を承認された」と理解するのは、大きな間違いだし、かなり危険な思い込みです。

谷川　研究者共同体を軽く見せる必要はないと思いますが、問題意識は共有します。新型コロナウィルスのワクチン接種をめぐって、どれだけ科学的な検証をしても、その結果を啓発しても世間全体には通じない。別の領域では陰謀論的権威が力を持っているわけですから。現に、学者の権威は、社会全体に同じように通じるものではないわけですよね。権威はコミュニティと対応していて、有効範囲のようなものがある。

杉谷　これは、二〇二一年に亡くなられた法哲学者の那須耕介《なすこうすけ》先生が、私に言ってくれたことなんですね。学者というのは、「先生、先生」と呼ばれてちやほやされて、アウトリーチ活動だって無邪気になってしまう。でも、そこは無自覚になってはいけない。

谷川　この話自体は、仕事を辞めたり転職したりしたときや、経営者層が役職定年になったときなど、急に一個人、一会社員になるタイミングを思い浮かべてもいいかもしれませんね。会社の権威って決して社会全体に通じるようなものではない。家庭にすら通じないですよね。たとえばお子さんがいるなら、子どもに「俺はエリア部長だぞ」とか威張っても仕方ないわけで。

「常識破壊」「衝撃の真実」話法がもたらしたもの

谷川　以前杉谷さんと対談で話したのは、教育やアウトリーチの現場で、私たち研究者が、「みなさん、こう思ってるでしょ。……でもね、実はこうなんです」という話法を使うことの問題点でした。しかし、常識をひっくり返すような論法は、陰謀論者の常套《じょうとう》手段でもあるという話をしたんです。

朱　なるほどね。

杉谷　たとえば、「日本は民主主義だとみんな思っているけれども、実情を見れば全然民主主義的じゃないんだ」ということを言う政治学者がいたりする。「その理由はこうでこうで……」という風に語るんだけど、「な、なんだってー！」というやつですよね。思っていたのと違う世界が見えるときの知的快楽というのはあって、この論法は極めて便利なんです。本屋に行けば、「学校では教えてくれない」「教科書には書いてない」という言葉が並んでいる本がすごくたくさんありますよね。こういった「常識破壊ゲーム」みたいなレトリックを使うと、よく売れるし反響も大きい。聞いてる側も、話してる側や書いてる側も気持ちよくなってしまう。

谷川　常識が裏返るようなことを言うと、確かに聞いている学生の表情って如実に変わるんですよね。たとえば、「『本当の自分』みたいなものって、実は、ちゃんと考えてみるとあるかどうかわからない怪しい概念ですよね」みたいなことを丁寧に説明すると、かなり顔つきが変わる。

杉谷　ただそれを無邪気に使ってきた結果が今なんじゃないかなという気もするんですね。陰謀論者は、研究者の権威を「衝撃の真実」でひっくり返すことによって、自分の権威を高めていくわけですよね。だから、分野の外に出て何かを語るとき、ちょっと無自覚すぎたことに反省がいるのかもしれない。

谷川　エリック・ホッファーという哲学者が、こんなことを言っているんです。「知識人は傾聴してもらいたがる。教えたがり、重視されたがる。知識人にとっては自由であるよりも、重視されることの方が大切で、無視されるくらいならむしろ迫害を望む」（『波止場日記：労働と思索』みすず書房）。たぶんこういうことですよね、杉谷さんが言おうとしているのは。

杉谷　そうそう。

谷川　脱常識ゲームみたいなことをやって、うわっと場を沸かせることの快楽に話し手がやられちゃってるところがある。権威には使う側にも、使われる側にも中毒性がありますね。ただ、この脱常識的な言葉遣いって、コンサルや企業研修とか、ビジネス書でもむちゃくちゃ乱発されているので、「大学」や「研究」の問題に回収しない方がいいとは思います。だから、どんな場所でも、「お、この人も『衝撃の真実』論法を使ってはるわ」「あ、常識破壊や、逆張りですのんな」と事態を引いて見るためのワクチンとして、今回の話題を聞いた方がいいような気がする。

関係が壊れるリスクを負うから信頼が生まれる

谷川　権威とそのトラスト／信頼の関係をもうちょっと掘り下げてみていいですか。二つほど参考になりそうな事例を話してみます。「ブレッチリー・サークル：サンフランシスコ」（二〇一八年）というNetflixオリジナルドラマがあるんですね。これは本当にめちゃくちゃ面白い。第二次世界大戦中に暗号解読をやった女性たちの戦後生活が背景になっているんですが、暗号解読は軍の任務で守秘義務があるから、友人やパートナーにも隠していないといけないし、その経歴やスキルを活かした仕事もできない。戦後は自分に何ができるのかを隠蔽《いんぺい》・忘却して暮らさざるをえなかった女性たちが、ふとしたきっかけで連帯して連続殺人事件を解決しようとするというストーリーなんです。

朱　へぇ、そういうドラマが。

谷川　そうなんです。もともとはイギリスが舞台なんですが、いろいろあってアメリカに舞台が移るんです。その渡米したタイミングが、ちょうど公民権運動の時期なんですよ。イギリス出身の頭のいい白人女性たちが、現地で黒人女性のアイリスと出会うことになる。この人も戦争中にアメリカで暗号解読に携わっていた。それで現地の連続殺人事件を解決するために協力しようと彼女たちはアイリスに声をかけるんですが、人種差別を経験していない白人の「連帯しよう」という言葉は通用しないんです。アイリスは判断に迷いながらも、結局「あなたたちには私たちの世界はわからない」と突っぱねた。

あるとき黒人地区で子どもが亡くなる事件が起きて、その葬儀に白人女性も参列するんですね。もちろん、黒人であるアイリスからは「何しに来たんだ」「場をわきまえろ」という目で見られる。それに対して、「ここには自分の敬意を表しに来た。あなたの言う通り、私にはあなたたちの世界はわからない」と言うんですね。でも、つながりを諦めたわけではない。「秘密を抱えるつらさを私は知っている」と伝え、その場は別れるというシーンがあるんです。

「しなくていいこと」をやったわけですね。短期的な利益に最適化するなら、する必要のないことをした。うまく言えないんですけど、連帯や信頼が生じる瞬間には、こういう余分な行動がいる気がするんです。もっと深いレベルでの信頼が生じるとき、自ら危険に身をさらす行動が、つまり、関係自体が壊れるリスクを負うということが必要なんじゃないかなって、このシーンを見て思ったんですよ。

現実にも似た事例はあります。パナソニックが二〇〇五年から始めた石油ファンヒーターの回収運動です。社名がナショナルだった時代に販売していた商品なんですが、事故が多発したことを受けて、パナソニックは、一台数万円で引き取るという対応を決め、手持ちのＣＭ枠、ウェブサイトのトップページをリコール告知に差し替えたり、全世帯向けにＤＭを配布したり、数百億規模の宣伝費をリコールに割いたそうですね。これは、計測可能な合理性からいくと「しなくていいこと」です。最適化のセオリーを外れているけれど、こういう事例の中にトラストを理解する鍵がある気がするんです。

朱　ナショナルの話は、ブランドや企業が信頼を調達するとはどういうことかについて教えてくれる重要な例だなと思いました。結局、今の例は経済的に合理的じゃないことをやるっていうのがポイントですよね。

谷川　ちなみに、ウェブサイトのトップページには「一九八五年から一九九二年製のナショナルＦＦ式石油暖房機を探しています」というリンクが今でもあるんです。

朱　蕩尽《とうじん》というか、自社が持ってる広告枠を全てリコールの告知に差し替えるのって、それ単体で見ればものすごくマイナスなことなわけだけど、でも結果的には、さっきの短期的ではない意味においては、広告効果と考えれば、むしろとてもよかったのかもしれないという。

谷川　実際、ブランドランキングでグッと順位を上げたのだとか。

朱　そうですよね。それは、今で言う「エシカル」みたいなことの先駆けでもありますね。そこに懸けてしまったほうが結果的にアテンションを調達できると。つまりエモーショナルなものを調達できてしまえるという事例としてちょうどいいかなという感じがします。

アイデンティティと交差性について

朱　私はドラマを観ていないので、間違っていたら訂正してくださいね。そのドラマの事例ですが、公民権運動というアイデンティティ・ポリティクス（特定のアイデンティティに基づいた集団が、その集団を構成する個人のアイデンティティに関して社会的承認を求める運動）が背景として置かれていたことが重要ですよね。「個人的なことは政治的なことだ」ということが公然と言えるようになり、プライベートな問題として処理されてきた人種、ジェンダーなどの社会的カテゴリーがもたらす構造的な差別を公共の問題として論じられるようになった。

一方には、「能力を持った白人女性たち」という、女性の解放とかフェミニズム的な文脈でのアイデンティティ・ポリティクスがある。他方で、黒人コミュニティにおける民族差別の克服とか、尊厳をどう獲得しうるかという民族的なアイデンティティ・ポリティクスがある。この二つの流れは、完全に軌を一にすることができず、対立する局面すらありうる。たとえば、民族集団のアイデンティティを継承するために伝統文化を守ろうとすることは、多くの場合、民族集団内の女性に対して家事や育児、介護などのケア労働を押しつけることにもなるわけです。

ただ、それでもやはり、人は一つの属性や性質しか持たないわけではないから、たとえば女性同士の連帯、シスターフッドが束の間成立することはあるんだ、そういう話に聞こえたんですね。

谷川　そうですね。いわゆるインターセクショナリティ（交差性）が「ブレッチリー・サークル：サンフランシスコ」の一つの主題だと思います。当時のフェミニズムと公民権運動が交錯する時間と場所が舞台になっている。

朱　まさにそう。二〇二一年に邦訳がようやく出ましたが、パトリシア・ヒル・コリンズとスルマ・ビルゲの『インターセクショナリティ』（人文書院）。交差性とも訳されますね。インターセクショナリティって何かというと、道路の行き交う交差点のようなものだと。

人は、一つの属性だけの存在ではない。たとえば人種だけの存在でもないし、セクシュアリティだけの存在でもない、という風にいろいろな属性が折り重なっているところがある。たとえば、シス男性（シスジェンダー男性。出生時に割り当てられた性別が男性であり、現在の性別の自己認識も同様である男性）としてマジョリティ側に立っているけれども、エスニックな意味ではマイノリティかもしれない。たとえば、このドラマなら黒人でありかつ女性という二重のマイノリティ性を帯びているかもしれない、でも他方で高度な教育を受けたという点ではマジョリティかもしれない。
こんな風に、一つの属性、一つのアイデンティティを本質主義的に捉えるのではなく、いろいろな属性間の力の勾配《こうばい》という軸が行き交う交差点の中に、つまり、さまざまなパースペクティブがある中に複合的に自分自身を位置づけるということですね。

杉谷　なるほど。

言葉を実体化せずに使うことの難しさ

朱　『インターセクショナリティ』の本を読んで、面白いけど難しいなと思った論点があるんですよ。インターセクショナリティという概念は、多重差別とか、複数属性の交錯について考える上で使える分析概念であって、ツール以上の意味はないんだと再三注意が促されている点です。社会構造の話にいきなりジャンプできないし、人間の本質がどうだとか、そういう話ではなくて、差別の苦境を理解するためのツールであり、言葉遣いを提供しているんだと。なるほどと思う。こうした点を強調することで、この概念の提唱者たちは「みんなある面においてはマイノリティだよね」という安易な相対化や、あるいは逆に「そうは言っても、民族差別より男女差別の方が当事者が多いから大事じゃないか」みたいな比較論に発展するのを意識的にキャンセルしようとしているんです。

でもね、これ結構難しいんですよ。道具と割り切って言葉を使いこなすことって、めっちゃ複雑なことですよね。その言葉にコミットすると同時に、距離も取らなきゃいけない。実際、単なる分析ツールというよりは、運動をエンパワーするものとして一般の人の間では流通しているところがある。とくに先に指摘した「みんな何らかのマイノリティ性があるよね」という相対化は、たしかに通りがよいし、多くの場面でマジョリティであるような人にとっては聞こえがよいかもしれません。だけど、作者たちが言いたいことは、分析道具であり、概念的な装置なんだということで。

谷川　インターセクショナリティは、存在論的な主張ではなくて、「違いを越えて連帯しようとするとき、その都度この眼鏡をかけると世界がよく見えますよ」という方法論的な主張だということですね。この言葉を使うとよく見えるけど、眼鏡越しに見えたものがそのまま世界の姿だとか、こういうものがはっきりと実在していて、これが私たちの本質だといった仕方で、単純に捉えてはいけないよ、と。

朱　そうです。私自身としてはインターセクショナリティの概念は、当事者が、自分のアイデンティティを絶対視したり、本質主義的に考えたりせずに済むという解毒《げどく》作用があるなと思った。また、複数のマイノリティ属性を備えた人の苦境を捉えるためにも有効です。たとえば民族的マイノリティ集団において「女性」であることは、その血統的集団を持続する「産む性」「育てる性」として扱われることでありえます。ここには民族性と性別という二つの軸における緊張関係と、その両者でマイノリティであること特有の困難さがあります。しかし、こういう座標づくり以外の点で使ってしまうと、安易な相対化もそうですし、「かわいそうランキング」みたいな、どっちの方がしんどいかゲームにも転用されうる危険もあります。

谷川　マイノリティについて無頓着《むとんちゃく》だったり、配慮のためのわかりやすい項目がほしかったりする人にとっては、チェック項目のように「マイノリティの属性がたくさん折り重なるほど、しんどいポイントが大きいです」という話の方が理解しやすいですよね。だけど、インターセクショナリティという言葉は、そういう「かわいそうランキング」みたいなことを言うための言葉ではない。

朱　そこなんですよね。何のために使うのかという道具的視点は確かに大事なんですよ。しかし、それは同時に、まあまあ負荷の高いことをやろうという話でもある。「インターセクショナリティという言葉を使うとこんな便利さがある」ということは精一杯やるとしても、こういう「分析ツール」を提示する学者の側がコミットしているものがわかりにくいというのは、その通りでもあるなと思うんですね。

第５章　「言葉に乗っ取られない」ために必要なこと

――SNS、プライバシー、言葉の複数性

プライバシーという暗闇の重要性

谷川　少しだけ話をずらしてもいいですか。アイデンティティを掘り下げていくとかっていうときにも、あるいは、冒頭のジェニファー・ローレンスの話にも通じるんですが、人からの視線とか期待に応え続けるだけのコミュニケーションがしんどいとかっていうとき、「壁」が必要なわけですよね。アイデンティティはいろんな人にじろじろ見られるような場所では、うまく形成したり、見つめ直したり、語ったりしづらいから、ある種の「暗闇」が必要です。この対話では割とよく出てくるハンナ・アーレントが、『人間の条件』（ちくま学芸文庫）で、光と闇の対比を作っているんです。

彼女のメタファーでは、公共空間は光の当たっている、お互いに視線を送り合う空間なんです

ね。そういう目に見える場所で、政治的なコミュニケーション、熟議を積み重ねていく。これって、哲学の伝統が育ててきたイメージとも重なっているんですね。「理性の光」という言葉もある。カントは「理性のまどろみ」という言葉を使って、理性を起こそうよという話をするわけですが、ここでは、起きている時間、つまり明るさや昼のイメージと、理性や哲学が結びついている。光の当たる公的領域で理性的に議論する、と。

アーレントというと、公共哲学に寄与《きよ》した人という感じがするんですが、私的領域という暗闇の大切さについても語っているんですね。「守られた存在の暗闇」「私たちの私的で親密な生活を満たす黄昏《たそがれ》」「公的な場所には他者がいつもいるという無慈悲な明るい光が当たっている」などの表現が、『人間の条件』には出てきます。

杉谷　なるほど。

谷川　光が当たらず、視線を浴びることのない壁の向こう側だからこそ可能になる語り口っていうのも確かにある。アイディアを育てたり、弱さを見せたり、無防備に語ったり、自分のアイデンティティを探ったりすることは、光が隅々まで照らし、人から遠慮なく見られるような場所では難しいですよ。

私たちは社会的に「男性」として扱われ、高等教育を受けています。そういうマジョリティ性を持ちながら、アイデンティティについて議論することの難しさっていうのはやっぱりある。その中で一瞬危うい言葉遣いをするかもしれない。考えながら言っているから悪しき意図はないけど、危うさについては気づいたら訂正したいとも思っている。そういう気持ちまで含めて、この三人なら理解してもらえるという信頼があるから話せているところがあるわけじゃないですか。だから、壁があることには意味があって、暗闇の安心感が作ってくれた話題や論理というのもあると思うんです。

朱さんにこの企画を打診したとき、「言葉に窮《きゅう》する時代だよね」って言っていたことが大事だと思う。私たちは、すごく語りづらいこと、一概には言えないことを語り合っていて、読者にはそう見えないかもしれないけど、しどろもどろになって、言葉に窮しながら、かろうじてしゃべっているところがある。これは、まさにプライバシーという切り離された時間や場所が可能にしてくれるものだと思う。

この対話はいずれ書籍化されるけど、対話そのものが配信・中継はされていないんですよね。その場合は、話す内容が少し変わっていたとは思う。いったん議論するときは、人の視線を気にせずに私たちは語り合っているし、そう思えるからこそ話せているところがあると思う。アテンションの光が直接は届かないところだから、インテンション（意図や意見）を形成している途上でもいい。

プライベートなものを語る言葉のなさ

朱　先ほどのインターセクショナリティについての話は、学術用語や概念という、どちらかというとパブリックな言葉遣いについて、表面上の通りのよさや使いやすさの半面、それゆえの課題もあるという話だったんですけど、谷川さんが言ったのは、むしろ「プライベートなものを語る言葉もまた課題がある」という話ですね。それはその通りだなと思いました。

杉谷　アカデミー賞の席で、俳優のウィル・スミスが司会者のクリス・ロックをビンタしたという事件（二〇二二年）というのが一時期ずっとニュースになっていて、しばらくすると司会者が、発達障害（学習障害）なので他者への共感に困難があるということをカミングアウトしましたね。それを受けて、一部の人は「これはポリコレ（ポリティカルコレクトネス）カードバトルだ」などと揶揄《やゆ》していました。お互いにどの弱者をアピールして闘うかという話だと。多くのマジョリティには、配慮しないといけない性質や差別されてきた人の属性というのは、カードゲームの手札のように見えているところがある。

別の文脈なんですが、大阪大学の哲学者である三木那由他《みきなゆた》さんが、たしかSNS上で「マイノリティの属性を組み合わせてバトルのように提示するさまは、耐えがたい」ということを言っていました。これは本当にその通りだなと思う。どちらがより下に這《は》いつくばることができるかの闘いだというのは、ちょっと……。弱さを転じて強さに変えようとするこの闘争って、パブリックな領域の話ですよね。

朱　そこは思いました。その場でよりかわいそうに見える方に身を置いて、相手を黙らせられたとしても、抱えている傷つきやすさが癒《い》えたりはしないと思うんですよ。ケアとか、治癒《ちゆ》につながらない。では、そのためにどんな語り方、ケアの仕方があるのか、あるいは、そのおずおずと語り出された未完成な語りに対して、どういう応答の語彙を持っているかというと、哲学は向いていない面が多分にある。だから、フィクションを含め、別の潮流にある言葉遣いの方が有用であるという気はするんです。これは、リチャード・ローティが『偶然性・アイロニー・連帯――リベラル・ユートピアの可能性』（岩波書店）などで論じた「パブリックとプライベートの区分」がベースにある発想なんですけど。

杉谷　なるほど。そのとき、ＳＮＳってどうですか。

朱　ＳＮＳで何かをカミングアウトすることって、その弱さに寄り添うとかではなくて、アテンションを集め、瞬く間に周囲を敵と味方に分割する機能を持ってしまっていますよね。他方で、鍵アカや閉鎖的なＬＩＮＥグループで、男性同士の差別的な悪ふざけをやっていて、それがあるきっかけで他人の目に触れ、一気に問題化していわゆる「炎上」みたいなことが起きたりすることもある。

谷川　東京オリンピックの開会式・閉会式の演出統括役がＬＩＮＥグループで人の容姿を侮辱《ぶじょく》するような案を悪ノリで出した（二〇二一年）とか、吉野家の元常務が牛丼のＰＲ方針を早稲田大学の講座で説明したとき「生娘をシャブ漬け戦略」と口にした（二〇二二年）とかですね。もちろん、そういう醜悪《しゅうあく》な部分とかはもう全力でなくなったほうがいい。

朱　もちろん、もちろん。

谷川　でも安心してしゃべれるというか、弱さを見せ合ったり、危ういかもしれないけど、語り合うことで前に進んでいけたりするような、そういうコミュニケーションはやっぱり暗いところでしかできないような気が。

朱 そうですね。間違ってること含みでもいいというか。いくら内側でもミソジニー（女性蔑《べっ》視《し》）はダメだけど、プライベートなやりとりには、毛づくろい的に安心を提供し合う機能はあったわけですよね。それは、誰にとっても必要なことですよね。

谷川 一緒に間違ってくれる、間違えたら一緒に変えていけるというのが大事なのかもしれないですね。

秘教的道徳について

谷川 公共政策って「公共」の話題ですけど、プライバシーについてはどうでしょうか。

杉谷 二人の話を聞いていて頭にあったのは、政治哲学者のレオ・シュトラウスが言っていた、秘教的道徳（esoteric morality）の話でした。シュトラウスは難解な哲学書を書いているんですけど、門下がたくさんいて、彼らの中でしかわからないような世界を持っていたところがある。シュトラウスも、「全員にはわからないでいい、ただ何人か通じるやつだけがいればいいんだ」という書き方をする人ですね。シュトラウスの文章はすごく難しいけれども一部の人たちは熱狂的に読むわけですね。それが実はアメリカでかつてブッシュ大統領のイラク戦争を支持・正当化したグループに影響を及ぼしたんじゃないかと言われています。

谷川　ネオコンですね。

杉谷　ネオコンサバティズム（新保守主義）、いわゆるネオコンです。実際のつながりや影響力については吟味が難しいのですが、少なくとも、そういうことが言われるぐらい怪しげな魅力を持つ人ではあります。こうして考えると、いわゆる「秘教的なコミュニケーション」みたいなものには、二面性があると言えそうですよね。一つは、プライベートな場では、歪《ゆが》んだコミュニティを作ってしまう可能性があるということ。もう一つは、パブリックな場では、漂白されて整えられた言葉しかしゃべれないけれども、親密で閉鎖的な場所では、深くて根源的な、本当に大事なことを話せるということです。

谷川　私的領域では外側から干渉できないので、そこだから育める関係や言葉があるわけですよね。それはいい意味でも悪い意味でも。ハラスメントの問題を考えると、「秘教性って大事ね！」という素朴な話にはできない厄介さがあるわけで。

杉谷　そこなんです。ただ、そこには何かがある。これは私の実感の話でしか言えないんですが……。たとえば、私が仲良くさせていただいている思想家の佐伯啓思《さえきけいし》先生という方がいらっしゃるんです。よくいろんなところに一緒に出かけるのですが、あの方は、まさに秘教的道徳の人ですね。本人もシュトラウスが好きなんです。少人数のやりとりって、師弟の関係というか、師匠の背中を見て学ぶみたいな世界なんですね。佐伯啓思というと、右翼の大論者と思っている人も多そうですが、目下の人間もちゃんとフェアに扱ってくださいますし、あらゆる面で極めて真っ当な方です。もちろん、際どい物言いもないわけじゃない。ただ、ある一面をもってその言説すべてを否定するのは愚かしいと思っています。

そうは言っても、人間は簡単に割り切れるものではないということを前提としつつ、次のことは留保しておきたい。たとえば、あの吉野家の元常務の発言に関しては、あれ、たぶんサービス精神なんですよ。それが特権に胡坐《あぐら》をかいたシス男性の醜悪なところですけど、ああいうような発言は人間の偏見を助長するし、そういう発想でヘラヘラ笑うような組織を作ってしまうという意味では極めて罪深いもので、本当は秘教的な場ですらああいうことを言うべきではないですね。

SNSの告発と暴露ジャーナリズム

朱　「この場だけだ」と言われていても、それをSNSに載せて告発するというのは異議申し立てのやり方の一つですよね。熊本県の秀岳館高校サッカー部でコーチが暴力を用いていたという事件（二〇二二年）は、学生がSNSに動画を投稿したことで明るみに出たという話でしたね。校長とか監督とか、一部の熱狂的なサッカー部の保護者の中では、秘教的道徳の悪い側面が働いていて、体罰込みで強さを作るんだという価値観が共有されていた可能性がありますよね。
谷川　そうですね。異議申し立ての大切さは無視できない。プライバシーを語るとき「秘教的道徳」が難しいと思うのは、杉谷さんの言うように「バランス」に気を付けないと、カルトコミュニティ、ハラスメント集団、やばいオンラインサロンなどにお墨付きを与えかねない理論になってしまう。

杉谷　気をつけないと危ういですね。

谷川　「暴露が大事だ」というのはアメリカの政治文化的にも面白い論点なんです。マックレーキング（あるいはマックレーカー）という言葉があるんですね。これは、調査ベースで汚職や不正を暴いていく、事実を掘り下げて壁の向こう側にあるスキャンダルを光の当たる場所に置くというジャーナリズム（あるいはジャーナリスト）を指す言葉です。革新主義（progressivism）と呼ばれる改良主義的な気風の影響下にある動きなんですが、マックレーキング・ジャーナリズムは、リベラルな社会科学者を生み出す土壌にもなっていくんです。たとえば、シカゴ大学のロバート・パークなんかは記者出身の社会学者です。

だから、ここにはリベラルと保守の分断線の一つを見出すこともできるんですね。つまり、暴露することとの社会改善の可能性に期待をかけるのか、あるいは壁を作り暗闇の中でだけ話せるということの方を尊重するのかという。二者択一ではなくてバランスが大事なんですけど、一つの論点ではあるかなと。

朱　それ面白いな。前回の陰謀論の話に絡めながら、少し話をしたいんです。最初に陰謀論の哲学を語り出したカール・ポパーの時代は、もっと素朴に「陰謀論はダメだよね」と切り捨てていた。ユダヤ人陰謀論とか、シオンの議定書とか、「いやいや、単独の組織や人の意思通りに歴史は動きませんよ、それ皆さんよくご存じじゃないですか」と。当時はこれが有効な論法になりえたんだと思います。

でも、今になって陰謀論哲学がホットなトピックになっているのは、アメリカのウォーターゲート事件のときのように、陰謀論的な仮説があるからこそ暴けた真相もあるじゃないかとなって、話が複雑化したんですね。メディアなどが陰謀論的な仮説に基づいて調査した結果、暗がりに対して光を差し込んで、それを暴けたという事例が積み重ねられた。だから、陰謀論的な仮説のすべてが悪いとも言い切れない。けれども、陰謀論は構造上、論駁《ろんばく》不可能な構造を取るわけですよね。「証拠がないこと自体が、陰謀の証拠だ」とか。こういう考え方とは「ほどほどの付き合いに」「バランスをとりましょう」という話にならざるをえない。

谷川　ハリウッド映画とか、何かを暴いていくストーリーもだいたい誰かや何かの陰謀だというオチになりますよね。何かを暴くとき、陰謀ベースの思考になりがちなんですかね。

朱　暴露的なジャーナリズムもそうだし、告発もそうだけど、公衆の目にさらす、光を照らすことは大事ですよね。けれども、われわれはやっぱり暗闇もなければ生きていけないという話でも同時にある。

谷川　全てにスポットライトを当てるわけにいかないですよね。

同意をめぐる正反対の方向性

朱　秘教的道徳は、その場所や安心感の確保は、本来誰にとっても大事だという点で公共的な論点ではありますね。それと同時に、家の中のことだから子どもやパートナーに手をあげることが許されるかというと、普通に警察を呼ばれる時代ですよね。ＤＶ（ドメスティックヴァイオレンス）とか。

谷川　デートレイプという言葉が出てきた経緯もそうですね。

朱　まさにそうですよね。で、これを「同意」の話につなげたいんです。インテンションエコノミーのところでも話しましたけど、今は何でもとりあえず同意を取ることになっている。デジタルビジネスでは、企業側も個人側も怖いから、細かく同意をとる方が安心できる、と。

でも、一歩引いて考えてみることも大事なんですよね。たとえば、私たちはお店に行って物を買うときは別に同意なんか誰もしていない。同意をとらなくても大丈夫なのは、まさに「信頼」しているからです。生産・流通・販売のプロセスに関わった人々とか、プロセスの積み重ねに信頼があるから、店頭にあるものについてはすべて追跡できなくても、別に買うわけですよね。だとすると、デジタルビジネスは、歴史が浅い業種で全体としての信頼性が低いということもあるけど、やっぱり他の日常的な活動と比較すると「同意」があまりに重たくなり過ぎていないかと疑問も出てくる。

他方で、性的同意のように、暗黙に処理されていたこと、プライベートな空間の中でなし崩しにされていたものが、「いや、そこに同意はあったのか」「そこをちゃんと可視化して考えよう」とその都度確認することが一種のモラルとして、ようやく出始めている。

谷川　性的同意というのは、性交渉の前に同意をとったのかどうかということですよね。パートナーであっても。

朱　ビジネスの話だと途端に、消費者に不要な負荷をかけることはよくないから省く方向へいこうという話がある一方で、「われわれはプライベートにおいて同意を大事にする」といって、同意のコストを払うことをむしろ重要視しようとしているという風に、同意一つめぐって錯綜《さくそう》している。僕らの認知的なコストはやっぱり限られているので、大事にしたい同意と、そうじゃない同意とがあって、徐々に棲《す》み分けていく過渡期にいるのかもしれないなと思ったんです。

儀式化、自己責任化、アリバイ化する同意

朱　同意をめぐる議論についていうと、政治も重要ですね。今の選挙って、限られた争点だけに焦点が当たっていて、「そんなことに同意した覚えはない」みたいなことがいっぱいある。僕は日本生まれの外国籍住民なのでそもそも投票権はないですけども、同意した覚えはないのに大阪市が解体されかけたりすると。もうちょっとこの言葉を丁寧に扱わないといけないなと思っているので、これについてお二人の考えとか。

谷川　政治においては、選挙に勝ったら「同意をとった」「信任を得た」ということで、アリバイ作りになるわけですよね。結局、マニフェストもあってないようなものだし、そもそもマニフェストもすべての政党のものを見比べて……とかも事実上誰もやっていない。

杉谷　かつて選挙というのは商品購入と同じだということを言った人がいましたね。あなたが気に入った商品を買うように選挙で買えば、選挙で投票すればいいよということを言っている人がいるんですけど、大きな違いがいくつかある。

まず、頼んだ商品が注文通りにくるかわからない。「選挙に勝ったことだし、マニフェストに書いてないけど、いきなり増税しよう、憲法改正しよう」とか、そういうことがある。それから、悪意がなくてもマニフェスト通りにできないことも現実にはある。たとえば、ウクライナで戦争が起きる前に、「ロシアともっと仲良くしましょう」という公約を掲げていた政党があったとしても、こんなに政治状況が変わってしまったらそれはできないわけです。そして、解散とかがない限り、クーリングオフとかリコールが一市民にはできないことですね。要するに、市民としての政治投票と消費者としての商品購入の類比はかなり違う。

それから、代議制民主主義の原則の一つとして、投票をもって「信任」「信託」するという建前がある。委任しているんですよね、それぞれの政治家に。これが建前なんですけど、「任せたつもりねえよ」と思っている人は多いだろうし、深刻なことに投票率がものすごく低い。だから、実際には実質的な同意をとるというより、「同意をとったことにしておく」という儀式になってしまっているというのは、その通りだとは思う。

要するにこういうことなんです。今の社会というのは、多くの人が政治について考え、社会に関して広く知っているはずだし、そうでないなら、そういう社会に向かうべきだという前提で動いているんです。選挙も、試験で政治家を選ぶんじゃなくて、ちゃんと誰がいいかを投票で選ぶでしょう？　そこには、市民ならちゃんと誰に「信任」すればいいかということを選ぶ能力を持っているはずだという前提、建前がある訳ですね。

もちろん、こんなことが全く成立していないなんていうのは、多くの人が知っていますし、政治学の実証研究でもいろんな角度から論じられています。投票率も低いですし、政治に関してすごく知っている人なんてほとんどいない。いたとしても、偏った知見を持っていたりする。なので、いっそのこと専門家に任せてしまえという発想も出てきます。

谷川　的確なまとめだと思います。

杉谷　ただし、それと同時に、同意をとったということにしておかないとまずい。その手続きすら飛ばしてしまうと、「市民は自分でちゃんと考えて選択できる」という前提が無効になってしまうからですね。「自分のことは自分が一番よくわかっているんだから、同意すべきかすべきでないか、自分が選ぶんだ」という自己決定の権利は保持しないといけない。でも、繰り返し出てきている論点ですが、こんな論理をあらゆる現場で展開されると、むちゃくちゃしんどい。それに、「お前が考えて選んだんだから、お前のせいだろ」と自己責任化される根拠にもなってしまう。それでもやはり、そういう建前を維持しないとまずい。そういうジレンマに現代社会はあるんだと思います。

朱　あまり掘り下げてこなかった側面ですが、自己責任化は大事な論点ですね。同意はやっぱり企業のさっきのビジネスの話でも、要はリスクを押し付ける行為ではある。アリバイ化するという話だから。

谷川 自己決定権を尊重しているんだけど、そのことによって、どんな帰結も各人の自業自得《じごうじとく》だとして処理されてしまいますからね。

杉谷 個人が自己決定できるのはとにかく大事だという考えがありますよね。私もその通りだと思う。たとえば、職業選択の自由、移動の自由、言論の自由は絶対あった方がいい。でも、選択をしたとき、失敗や過剰な負担を受けても誰も救ってくれないというか。

多様な権威に確認をとり続ける現代人の不安

谷川 失敗したり、苦境に陥ったりしたときの孤立感については、権威と保証について考えるといいのかなと思いました。社会が強固に一つの基準や価値を持っているときは、そのレールに大半の人は乗っていたし、乗れない人も反発や抵抗によって自分の位置を確固として定めることができた。社会の強すぎる基準によって、どちらの場合も、ある種の保証が得られたわけですね。

でも、今ってどんな選択をしても、どんな些細な決断をするときでも、選択や判断を究極的に保証してくれるものがどこにもない。むしろ、容易《たやす》く保証が成立してしまうと言ってもいいのかもしれない。政府の白書、専門家の助言、友人に「それで大丈夫だよ」って言ってもらうこと、Google検索、Yahoo知恵袋、占い、親や教員、テレビやYouTubeの評論家、どれも横並びの「保証」を与えてくれて、実はどれでも変わらない。どれも究極的な根拠を与えてくれないからです。だから、根拠が不安なときは、多様な権威に確認をとり続けるんですよね、現代人は。

これって、断言や論破のような話法とか、何でも自信満々な人にコロッといってしまう理由にもなっている。保証のない不安を忘れさせて、一問一答の世界に連れ込んでくれるからですね。具体的には、やばいオンラインサロンとか、カルトとか、ファンベースを悪用した悪徳企業とかにハマったり、「筋肉は嘘をつかない、鍛えたら恋愛も仕事もうまくいく」「片づけたら全部好転する」「このサプリを飲めば……」というマスターアーギュメントに走ったりする土壌になっている。

そういう状況に陥ったとき、友人や知人が助けてくれるかというと、敬して遠ざけることが多いですよね。謎の商材とか売りつけられたくないし、スッと身を引いていく。「そういう気持ちになるのは理解できる」「その不安について聞かせてほしい」という聞く態度よりも、自己責任的な感覚が先走ってしまう。

朱 そうか。それに対して処方箋がありうるとしたら、複数の秘教的道徳にハマったらいいんじゃないかと思いました。「一個の権威にどっぷり行って、それでダメそうなら別の権威に、その次に……」と、常に何かに一本立ちになるわけですけど、そうじゃないことができるという話をこれまでの私たちはしてきたように思うんですね。つまり、ある秘教的なコミュニティにどっぷり所属しながら、そこに異議申し立てすることもできるし、そのコミュニティを相対化するような、別の秘教的道徳にコミットメントを移行させていくこともできるという話だったと思うんです。この対話で何度か言及している哲学者リチャード・ローティは、多様な人が集まる「バザール」と、メンバーシップのある「クラブ」に喩《たと》えて、パブリックとプライベートの話をしているんですね。それでいうと、人は自分のクラブを複数持ちうるということが、大事な点だと思います。クラブそのものは私的なレベルの話ですが、誰にとっても「自分のクラブ」が複数あるようにすること自体は、公共的な課題です。

谷川　クラブへの多元的な所属が、ローティの言うアイロニーを、つまり一つの価値や権威にコミットしながら、それに浸りきらないという相対化する姿勢を作るのかもしれませんね。

言葉に乗っ取られた「生娘シャブ漬け戦略」発言

朱　さっき言いそびれたことで、これに関わる重要なことがあったんです。今日僕はあえてマーケッター的な目線でもしゃべっているので、吉野家元常務の「生娘をシャブ漬け戦略」というマーケティングに関わる失言についても触れないわけにもいかないと思うんです。杉谷さんは非常に大事な問題を提起されて、僕もほぼその通りだと思う。発言内容を免責するつもりはありませんが、発話者としては聴衆を喜ばせようと思ってしゃべったんじゃないかと思います。

杉谷　はい。

朱　ただそれと同時に、マーケティング特有のボキャブラリーについても考えないといけない。というのも、発話者は世界的に権威あるマーケッター集団であるP＆G（プロクター・アンド・

ギャンブル）出身で、手腕を買われて取締役に抜擢《ばってき》されたという経歴でした。マーケティングのど真ん中の人がああいう言葉を使うのは、ある意味では納得感がある部分もある。

マーケティングの語彙って、ストラテジーとかを筆頭に軍事用語由来のものが多いんですね。だから、「囲い込み戦略」って言ったりもしている。多くのマーケッターが、非常にマッチョで攻撃的なボキャブラリーを好んで使う傾向にあると言ってよいです。あの「シャブ漬け」みたいな言葉遣いはさすがにギョッとしますが、たぶん身内だけの打ち合わせではそれに近いことをポンポン言っているマーケッターは珍しくないと思うんです。ああいう露悪《ろあく》的な表現は、一つの方言というか、「自分たちのムラ」で使われる言葉遣いだった。

でも、私たちは別に全人格の１００％がマーケッターではないわけだから、「『田舎から出てきた生娘』という複数の偏見に満ちた罵倒《ばとう》表現や『シャブ漬け』みたいな露悪的どころか文字通り犯罪的な表現を、不特定多数の人が聴いている場で、それも講義室において権威をもつ講師として発言したらどうなっちゃうのか」ってことは考えられなきゃいけないんだけど、その言葉遣いに乗っ取られちゃう。あくまで一般論ですが、マーケッターとして優秀な道を歩いている人は、その分だけマーケティングにどっぷり浸かる、四六時中そのことばっかり考えるような生活を送っていて、普段使っているボキャブラリーに引っ張られちゃうという面があったのかもしれないと思いました。

杉谷　ものすごくいい指摘ですね。なるほど。

谷川　面白い。ワークライフバランスとか言うけど、あれはクラブ所属を豊かにするという働きもあったわけで、ひいては「言葉に乗っ取られない」ためでもあるのかもしれない。

朱　ちょっと気になるのは、やっぱり現在のインターネットカルチャーって「まとめサイト」的なものが中心的役割を果たしていて、複数のコミュニティがあってもそれらを貫く言葉遣いが誕生して、どこでもみんなネットスラングを使うということが起きている。つまり、たくさんの方言が生まれにくくなる環境があると思う。

谷川　そうか。方言を作るか。マーケッターのような強い言葉遣いには自分が支配される危険があるし、ネットが流行りによって標準化することもあるから、ネットや仕事以外にも意識的にいろいろなコミュニティに属して意識的に多言語話者になる必要があるんですね。

光を当てるだけでなく、別の暗闇にも所属すること

朱　最初は言葉遣いだけだったはずの人が、言葉に引っ張られるうちに完全にベタな差別主義者になってしまうケースは大いにありうる。言葉に乗っ取られている自分を相対化するときって、単に光を当てるだけではダメで、別の暗闇というか、別のクラブやコミュニティに、オルタナティブな場所に属するということに懸けるしかないのかなと思ったりする。

谷川　言葉を育てるために、複数のサードプレイス（自宅〔ファースト〕、職場や学校〔セカンド〕とは区別される第三の居場所を指す社会学の概念）を持つということなんでしょうね。現実の場所

でなくても、フィクションが方言を作るという役割を果たすこともある。「フィクションの力があるとすれば……」と、たびたび朱さんが言っているのはそこですよね。今乗っ取られている言葉遣いから身を剝《は》がすために、別の言葉遣いにも触れるきっかけになっている。自分を単一の言語からかくまってくれる場所であれば、現実のクラブでも、フィクションとの対話でもいい。

杉谷　朱さんの「言葉遣いに乗っ取られる」って、自分も経験あるのでよくわかります。政治学ではよく、軍隊用語を使うんです。動員とか戦略とか。ああいった話に触れ続けると、たとえば人間を数字として扱う発想に慣れちゃうんですよね。

たとえば、ある方がSNSで「データから明らかにしたところでは、こうこうこうで野党はダメだ」と分析している。野党支持者からはさまざまな反応が来ます。中には「どうすれば与党を倒せるか教えてほしい」というのもある。これに対して「私は別に弱い野党を助けたいと思っているわけじゃない」と半ばバカにしたような態度で返している。どんな政党であれ、真面目に政治活動にコミットしている人に「お前たちの政党って何やっても支持されねえから、ばかじゃねえの」とかって言ったら、そりゃ怒るに決まっていますよね。データ分析のスタンスとして、そこは冷厳に数的に処理するというのは正しいし、望ましい。でも、それをSNS上でやっちゃうと、ケンカになりますよね。

世の中にはろくでもない人もいるけど、熱心なアクティヴィストだってたくさんいる。なのに、数字としてだけ論じて、目の前の人の動機や行動をただ笑って済ませるようなコミュニケーションはどうなんだと思うんですが、それも研究者としてずっと精緻《せいち》な研究にばかり没頭してきたからこそ、そのボキャブラリーに乗っ取られているということなのかもしれません。目の前の人が見えなくなってしまうんですね。

誤解されるかもしれないので、断っておきたいのですが、ある特定の方法がダメだとか、そういった研究に従事している人が皆そうだとか、そういう話ではないのです。実際、数字を駆使した政治に関する研究成果は素晴らしいものが多い。また、右に挙げたケースの逆もあって、ある研究者が示唆《しさ》した研究成果に対して、「そんなのは私の実感からしても違う！」と別の研究者が怒って返したりしている。これは明らかに怒っている人が悪いですね。そもそもアプローチや目的が違いますから、この憤りは全くの的外れです。研究の手法や目的は人によってさまざまなのですから、そこの違いに怒って八つ当たりしても仕方がないんです。残念ながら、こういう不幸なすれ違いはずっと起きている。お互いの意図や想いを理解しようとする態度が欠けているからこういったことが起きるのだと思いますが。

語りの中にある豊かな比喩《ひゆ》

杉谷　私と谷川さんの共通の友人に、町田奈緒士《まちだなおと》さんという研究者がいるんですね。町田さんが出した『トランスジェンダーを生きる：語り合いから描く体験の「質感」』（ミネルヴァ書房）という本があって……。町田さんも私も、同じ助成金を取って、同じ出版社から書籍を出したので、生き別れたきょうだいみたいなものなんですけど（笑）。

谷川　それは違うでしょ（笑）。

杉谷　違うか。これはものすごくいい本。八人のトランスジェンダーの人たちから、どういう人生を歩んできたのか、どういうときに自分のセクシュアリティやジェンダーと向き合ってきたのかという話を聞き取っているんですが、出てくるたとえがすごく秀逸なんです。

トランスジェンダーは、自分の割り当てられた性、生まれたときに体に割り当てられた性と性自認が違うわけですよね。異性愛主義の規範では、体に割り当てられた性が男性だったら女性と付き合っていくかどうかという話があるわけで、自分を偽って他者の前で振る舞う必要がある。つまり、向こうは自分のことを男の子と見てるから、男であるように振る舞わないといけないとなっているんだけれども、すごい違和感があると。

こういう話をしているときに、あるトランスの人が、ディズニー映画の「アラジン」（一九九二年）を持ち出すんですね。主人公のアラジンは、ランプの精のジーニーに頼んで、自分が王族である振りをする。その上で王女のジャスミンに会って仲を深めていくんだけど、「偽物の王子様の僕が、彼女と一緒にはいられない」という後ろめたさがある。あのときのあの主人公の気持ちに近いですね、って。

「アラジン」のたとえが出てきたとき、私としてはピンとくるというか、なんだろう、「ああ、なるほど」という実感、「ああ、そういう感じなんだ」という。自分のいろいろなことを偽らないと人と付き合えない、その後ろめたさを抱えながら人といるって、それってなんというか、伝わるんですよね。

町田さんが本の最後で言っているように、簡単にわかった気になってはもちろんいけない。それでも、トランスジェンダーの人たちがどう生きてきたのかを追体験することによって、シスジェンダーの男性である私も、トランスジェンダーの人たちの生き方に対する解像度が上がったと思います。

谷川　世の中にこういう人がいるんだということのリアリティがひしひしとわかった、みたいな感じですか。

杉谷　そう、リアリティ。

体験の質感に関する言葉が足りていない

杉谷　あと町田さんの本がすごいのは、自分自身の体験も似たような視線で分析するんですよね。それは私としてはかなり勉強になったというか。だから、あの本がすごいのは、その暗闇と光の狭間を行っていることです。個人の内面やプライベートの部分もできるだけ言語化してやろうとしたという。

谷川　副題にもある「質感」というのは、各人の体験の中にあることですもんね。プライベートなこと。だから、暗闇と光の狭間を行ったり来たりするような感じで書いているんですね。

杉谷　そう。だから、複数のサロンやクラブに属するのと同じような形で、そういった人たちの本を読むというのも大事だなと思った。その読書は、実際にはものすごいショック体験だったんですけどね。「アイ・ハブ・ア・ブラック・フレンド」（「だから私は人種差別主義者ではない」という含みの言葉）などと言って、社会の現実や自分の行動をごまかす白人至上主義者のように、「私もトランスジェンダーの友だちがいて」と簡単に言っていたところがあった。けど、何ひとつその人たちのことを理解していなかったということに改めて気づかされて、ものすごく衝撃を受けた。

谷川　所属しないまでも、自分がいないクラブやコミュニティのことをよく知る手段はあるはずだということですよね。社会学者の岸政彦《きしまさひこ》さんが「隣人効果」と言うのもそれですね。

杉谷　そうそう。

朱　イントロの文章で、谷川さんが書いているバングラデシュのYouTubeチャンネルもそうだし、岸政彦さんを中心に、生活史やナラティヴの本が実際に売れているという話もよく聞くので、公共性や政治の領域に回収されない、生《なま》の言葉遣いに触れることに潜在的なニーズがあるのかも。僕らはそこが足りてないという感覚を持っているのかもしれないですよね。

だって、ご本人がおっしゃってましたけど、岸さんの編纂《へんさん》されて二〇二一年に刊行された『東京の生活史』（筑摩書房）なんて、一人一人のライフストーリーの断片があの分厚さ（一二一六頁、二段組み）で詰まっているという、ある意味で異形《いぎょう》な本なんだけど、それが企画として盛り上がって、実際に一定の読者を得て、さらに今後刊行が予告されている『沖縄の生活史』（沖縄タイムス）や『大阪の生活史』（筑摩書房）などに派生しているというのは、そういう言葉遣いが足りていないという感覚が背景にあるのかもしれない。

言葉を禁じて残るもの

谷川　プライベートなものを扱う言葉遣いが足りないということについて、私も思考の刺激を受けていろいろ考えて、二つのことを思い出しました。まず、評論家の荻上《おぎうえ》チキさんが『みらいめがね2　苦手科目は「人生」です』（暮しの手帖社）という本で、「金づちしか持っていない人は全ての物が釘に見える」という格言を押し広げて、「限られた語彙しかなかったら、すべてがその語彙で理解されてしまう」という話をしていたんです。これが一つ。

もう一つは、上間《うえま》陽子《ようこ》さんと信田《のぶた》さよ子さんの対談本で、信田さんが、性被害を受けた方のカウンセリングでは、ある局面で特定の言葉を禁じるって言っているんですね。たとえば、「母の愛」「女たるもの」「娘だから」「そうはいっても家族だから」といった類の言葉を禁止して、その人の体験が、ありがちな「家族愛の話」に回収されないようにすると。

「だって、親ですから」というのは絶対バツ。そうすると、どう表現していいのか、自分の体験にそぐう言葉は何か、けっこう考えたりするようになりますよね。私はそれこそ言葉は政治

だと思っているので、既成の家族概念に回収されるしかない言葉は使用しないようにしていま
す。(『言葉を失ったあとで』筑摩書房)

わかりやすいストーリーに回収するような熟語、定型化されたパターンに回収されそうな言葉を禁止する。前回の「ナラティヴ」みたいな話ですけど、「ああ、そういうことね」という手近な理解に回収させせないように、特定の語彙を禁じるんだっていうんです。

これに対して、対談者の上間さんが切り込んで、「言葉を禁じると何が残りますか」と言ったら、「それはね、うーん、比喩《ひゆ》ですね。そう比喩の豊かさです」と言ってたんですよ。「母の眼差《まなざ》しが自分をCTスキャンしているような目だった」とか。これって、杉谷さんの話を思い出させますよね。

朱　自分の体験を言葉にするときに紋切型の言葉にさせせないようにすることで、自分自身の自己理解自体もたぶん変わってきますもんね。

谷川　そうですね。自分を乗っ取りかねない紋切型の言葉を意識的に避けたときに、はじめて「あ、私は金づち以外も持っていた」と気づけるんでしょうね。

朱　なるほど。面白い。

谷川　紋切型でない言葉、つまり、信田さんの言う「比喩」というのは、プライベートなところから汲みだすしかないものなんでしょうね。

仕事の言葉遣いが私生活に侵入してくる時代に考えるべきこと

杉谷　さっきの吉野家の元常務の人は、金づちしか持っていなかったから、全部が釘に見えていたってことですよね。

朱　本当に全身マーケッターみたいな人だったのかもしれませんね。

杉谷　事態を引いて見ると、現代社会は仕事がどこまでも追ってくる環境でもありますよね。つまり１００％マーケッターでいようと思ったら、それを可能にするデバイスを私たちは常に持ち歩いているわけですよね。スマートフォンにしろ、ノートパソコンにしろ。

朱　まさしく。

杉谷　だとすると、問題としては他人事ではないというか、難しいことだなという感じがしますね。特に今は在宅ワークやリモートワークがさかんになって、私生活の領域に仕事が侵入するのが当たり前になっていますから。

朱　いわゆるエッセンシャルワーカーのような人たち以外にとっては、在宅ワークが象徴的ですが、仕事と私生活を分ける空間的な断絶が薄れていっていますからね、一般論として。だから、より一層、言葉遣いのモードや道徳のモードを意識的に、どう使い分けていくか、どう複数のものに関わっていくかということは、今日《こんにち》、当たり前のこととして強調しなければいけませんね。

現代社会が傾きがちなものへのカウンターとして。

谷川 そうか。だから、言葉に窮する経験を持った方がいいのかもしれませんね。ペラペラと饒《じょう》舌《ぜつ》で誰にでもわかる「ああ、これね」という公共的な言葉遣いだけではなくて、「沈黙的な語り」というか、言葉が形を失ったり、うまく言えなかったりする中で言葉にすることは必要なんでしょうね（「2010年代ヒット漫画の饒舌と沈黙」『中央公論』二〇二一年一〇月号）。立て板に水のように話せない状況で、自分の経験に根差した言葉で語っていく。これは疲れる経験なんですけど。

……というところで、みなさん言い残したことはないですか。

杉谷 まだ、あと三時間は全然いけますね。

谷川 そうですね。この話題、めちゃくちゃしゃべりたいな、ってね。

朱 延々としゃべれるけど、でもちょっと一回仕切り直して、次に生かせるテーマを育てる時間を持ちましょうか。

杉谷 もちろん、もちろん。

谷川 はい。でも、同意をとったところで終わりますか。公式にはここで一応終了ということで。

朱 儀式としての形式的な同意ですね（笑）。じゃあこれで。

三回目の対話——2022/07/16

▼イントロダクション　徳と観察をめぐって

ネガティヴ・ケイパビリティへの手がかり

これまで、「ナラティヴと陰謀論」、そして「アテンションエコノミー」を切り口に「ネガティヴ・ケイパビリティ」について語り合ってきました。いずれのテーマも、この話題を通してなら「ネガティヴ・ケイパビリティ」に迫ることができると考えて設定されました。ネガティヴ・ケイパビリティは、「わからなくていい」と開き直ることとも、「考え続けよう」と号令をかけることとも違います。ネガティヴ・ケイパビリティは、何かに安易な落とし所に考えを落ち着けず、揺れながら考え続けることです。だから、それらの見かけはネガティヴ・ケイパビリティと似ていますが、実際には思考停止にすぎません。

これまで論じてきたのは、ネガティヴ・ケイパビリティという捉えどころのない力を、具体的に実践可能なものとするための手がかりです。一回目の対話では、なめらかな発話や一問一答的な見方を避けることが大切だとして、プライドや党派性を減退させる「私たちの疲労」に注目しました。二回目の対話では、アテンションでもインテンションでもない物事との関わり方を考える必要があり、言葉に乗っ取られることを避けるために、暗闇に喩《たと》えられるプライベートな場所で、自分の言葉を育てていくことが大切だと指摘しました。そのための手立てが、いろいろなコミュニティに属して、自分の多様性を育むことです。

いろいろなコミュニティに属し、それぞれの共同体の方言を身につけて多言語話者になることで、私たちは目の前の現実を多様な仕方で語ることができるようになるかもしれないし、他者に対して多様なアプローチで会話することができるようになるかもしれない。いろいろな仕方で現実と関わることができるからこそ、目の前の事柄や人物を、簡単にわかろうとも、安易に語ろうともせず、開かれた可能性の下で関わっていくことができるのではないか。そういう期待の下にある議論だと思います。

これを「徳」（virtue）の観点から捉えてみるとどうでしょうか。徳という言葉にはいろいろな意味が託されていますが、ごく単純化すると、いろいろなシーンで首尾一貫しない行動をしかねない自分の性格をよりよい方向へと均《なら》していく、自分の傾向性や習慣を再編成して、よりよい方向へと向かわせていくという話です。これは一見、「自己の多様性を育てる」という議論と相反しています。

徳と「神秘主義」の組み合わせ

二回目の対話の収録後に私たちはこのような会話を交わしています。

谷川　今回の私たちは、「100％マーケッターではよくない」「複数のクラブに所属し、複数の道徳に触れた方がいい」という判断をしました。つまり、対立しうるボキャブラリーを抱えた自己を望ましいものとして評価しましたね。これは、単に自己を論じるのではなく、「どのような自分でありたいと望むべきか」という議論なわけで、新しい徳の提案のようにも思えるんですね。

朱　確かにそれ、スタンリー・カヴェルの道徳的完成主義の話に通じますね。連載「公正（フェアネス）を乗りこなす」（太郎次郎社エディタス）の最終回で、カヴェルを引きながら、まさに私たちが論じてきた「何か違和感がある」という感覚を取り上げたんですね。そこに、よりよくあろうとすることの高貴さが兆《きざ》していて、カヴェルはそれを大事にしようとした。私はその議論は扱いが難しいなと思っているところです。ぜひ次回議論したい。

カヴェルはアメリカの哲学者で、人が自己の完成を目指すべきであると同時にそれを終わらないものとして位置づける議論を展開しました。この終わらない完成としての倫理（エシックス）に、カヴェルは「道徳的完成主義」という名前を付けたのです。

会話は、さらにカヴェルがどのような議論の系譜を参照しているかという論点へと移っていきます。

朱　カヴェルが参考にしたラルフ・ウォルドー・エマーソン（アメリカの思想家、詩人）

なんかは、神秘主義的な面もあるじゃないですか。

谷川　そうですね。エマーソンやスウェーデンボルグ（スウェーデンの神秘思想家）などの系譜が、カウンターカルチャーの神秘主義、宗教にも影響を与えているニューエイジ、現代の自己啓発文化を生んだニューソートにつながっていく。エマーソンは、これらの系譜の一つの源流です。

カヴェルは、エマーソンという神秘主義的なところのある人物を参照しながら、道徳的完成主義の議論を研《と》ぎ澄ませました。そして、エマーソンは、ニューエイジ、ニューソートといった危うくスピリチュアルな思想潮流の源流の一人として名前が挙げられることも多いのです。神秘思想は往々にして「いわく言いがたいもの」「計り知れないもの」を代弁する権威を必要とし、人々はその人に帰依《きえ》するように依存的にかかわることになりかねません。これらを考え併せると、道徳的完成主義や「徳」のような明確には捉えがたい領域に、安易に手を突っ込むことは危ういのではないかという疑問が浮かんできます。たとえば、徳の体現者を称する誰かが「お前はわかっとらん」などと権威的に振る舞う危険性があり、ある種のエリート主義に陥るかもしれないのです。

徳と「覚醒」の組み合わせ

しかし、危うさがあるからといって論じることを避けるのもまた、ネガティヴ・ケイパビリティからほど遠いように思えます。そして、そこに見るべき何かがあるというのも確かだと私は考えています。

朱　道徳的完成主義は、谷川さんが『信仰と想像力の哲学』で書かれたような「覚醒《かくせい》」という宗教的な含みのある言葉と切り離せないところがあって、それを現代語ることの意義をどうやって取り出せるのかは、まだ僕もうまく答えが見つかっていないけど、考えたいです。

私がこの本の第二章で書いたのは、ジョン・デューイという哲学者が、神秘主義を慎重に退けながら覚醒概念を再構成し、フェアネスへの覚醒として再定義したということです。つまり、覚醒とは、これまでの自分のあり方を反省して、よりよい方向へと自分の態度を再編成しようと努めることを指しています。こうした意味で、「徳」と「覚醒」はしばしば重ねられうるのです（ただし、覚醒といっても一夜にしてガラッと変わるような変化だけを思い浮かべる必要はありません）。

興味深いことに、覚醒と民主主義や社会改善を結びつけるデューイの手つきは、今日のアメリカの革新主義者たちを思わせます。

……生活のあらゆる場面で常に社会正義に対する意識を持って暮らす状態を「覚醒状態

（woke）」という。もともと黒人コミュニティにおいて、自分の置かれている抑圧状態を大きな社会や文化に組み込まれた構造的不正義のなかで理解する姿勢を指していた言葉が、２０１４年のＢＬＭ運動をきっかけにアメリカ一般社会でも使われるようになった。（和泉真澄《いずみますみ》ほか『私たちが声を上げるとき：アメリカを変えた10の問い』集英社新書）

性差別、人種差別、異性愛中心主義、格差、地球温暖化や環境破壊などといった社会的不正義への敏感さを備えた若者たちは、「Woke《ウォーク》世代」と呼ばれることもあります。フェアネスのナラティヴに目覚めることは、社会的不正義への敏感さを育んだり、その改善のための動機を持ったり、他の仲間とつながったりする上で有効なのです。

しかし、徳と社会的正義への覚醒を組み合わせたとしても、危険な道がすぐ傍にあります。陰謀論やカルト、ネットワークビジネスなども、「正しき物語に目覚めるように」という論法を使い、新たな自分になることに好意的に言及しているからです。つまり、自己を根本的に変えてしまうような「気づき」や「目覚め」を求めるロジックそれ自体では、陰謀論やカルトも、フェアネスを求めるリベラルや保守も、一切合切区別がつきません。

もしこの危うさを避けたいなら、「正しきナラティヴへの覚醒」ではなく、自分の体験を吟味する批判的な姿勢が必要となるはずです。自分の経験や行動を、多角的な視点から捉え直し、評価すること、つまり、自己相対化です。そうでなければ、フェアネスに敏感であろうとした人物が、実際には無自覚に外集団に敵対的だったり、内集団を都合よく利用したりしているということになりかねません。

言い換えると、「何を欲するか」というベタな視点（一階の視点）ではなく、「何を欲する私であることを欲するか」というメタな視点（二階の視点）を持つことが大切なのです。ただ欲するがままに生きるのではなく、どのようなことを欲する人であろうと欲するのかという自己言及的な視点。ソクラテス以来、哲学が問題にしてきた「ただ生きるのではなく、よく生きる」というテーマは、まさにここにかかっているのです。

終わりなき自己相対化の代替物としての観察

こういうメタ認知は、同意や熟議などの形で、消費者＝市民に課されてきました。普通に「よく生きる」を実装しようとすると、どこまでも自分の頭で考え、自分で調べ、自分で悩み続けることが要件になりかねません。終わりなき反省、終わりなき自己相対化のような底の見えない探求は、仕事や私生活のさまざまなトラブルを乗りこなしながら生きられるようなものではありません。少なくとも、ずっとこのような張り詰めた姿勢でいることは望みがたいはずです。

朱さんと私の会話を聞いていた杉谷さんはこう応じています。

杉谷　ただ、そこまでの終わりのないメタ認知みたいなことをやるというのは、ものすごく負荷がかかりますよね。だから、道徳的完成主義を実際に多くの人が生きるというのは、現実的かどうか疑わしいと思うんです、本当のことを言えば。

しかしより興味深いのは、それに続く指摘です。

杉谷　だから、世界の解像度を少し上げるというか、自分たちの想像が及ばないような人々の生活があることに思いを馳《は》せるというところから始めるのがいいのかなという気もしますね。

底の見えないメタ認知の代わりになるものは、この辺りにあるのではないかという提案です。

「世界の解像度」についての杉谷さんの言葉を受けて、私は「観察」に可能性があるのではないかと返しています。「世界の解像度を少し上げる」ことは、自分の周囲をしっかり観ることを通して、結果的に達成されるものではないかと考えたのです。

谷川　メタ認知は、本当は身近なレベルで生じうるんじゃないかなとも思うんですね、大げさな話ではなくて。山口《やまぐち》つばささんの『ブルーピリオド』（講談社）という漫画があるんですけど、不良ぶっていた主人公が唐突に絵にのめり込んで、芸大受験するために母親を説得すべく、母親のスケッチを描くんですね。絵を描こうとしたとき、母親の姿とか行動に改めて目を遣《や》って、この人がいかに家族のことを考えて日々の細かな判断や行動を決めて言っているかに気づくというエピソードがある。ありがちな話と言えばそうなんですが、でもスケッチするために「観察」をするんですよね、そこでようやく気づく。これまでちゃんと見ていなかった自分に気づいて、解像度を上げるという瞬間があって。

朱 観察か。なるほど。

谷川 だから、実は身近な他者に対してすら解像度が低いのかもしれないというのはあるかもしれないですよね。

スケッチという目的を設定して改めて家族を観察すると、日常素通りしていたさまざまな情報が目に留まってくる。その過程で主人公は、家族という共同体にいたにもかかわらず、家族のことを大して見ていなかったことに気づくことになります。

Netflixオリジナルドラマの「セックス・エデュケーション」(二〇一九年–)には、「自分のナラティヴに振り回されるのではなく、自分のものにした方がいい」というセリフが出てきます。思春期の諸々《もろもろ》の悩みに直面している主人公が、大して親しくもなかった学校の目立った人物が悩みを叫び出すように語ったとき、彼を勇気づけるようにして思わず口にした言葉です。ここに観察の重要性を重ねてみると、「身の回りを観察するという具体的な行為は、ナラティヴや言葉に乗っ取られないための工夫になりうる」という議論が引き出せます。「陰謀論や反陰謀論のマスターアーギュメント」や「一問一答形式の発想」(一回目の対話)、あるいは、「アテンションエコノミー」や「言葉に乗っ取られること」（二回目の対話）など、ネガティヴ・ケイパビリティは、抵抗すべきものとの関係において語られ、位置づけられてきました。

では、三回目の対話では何に抵抗すべきでしょうか。私たちが抵抗すべきなのは、おそらく、安易にパブリックなつながりを求めることです。簡単に誰かや何かに接続し、自分の声を届けることのできる時代において、安易に公的空間に乗り出すのではなく、プライベートなものを豊かに育てるための方法はないのでしょうか。それは「観察」なのでしょうか。そしてそれは、ネガティヴ・ケイパビリティとどう関係しているのでしょうか。こういった疑問を三回目の対話では掘り下げていきたいと思います。

（谷川嘉浩）

第6章　自分のナラティヴ／言葉を持つこと

——倫理、相対化、ナッジ

ナラティヴを所有する力

谷川　Netflixオリジナルドラマの「セックス・エデュケーション」という作品から話を始めたいと思います。アメリカの高校生たちを主軸にした作品です。「普通の家庭」「普通の一〇代」「普通の恋愛」「普通の友人関係」などが自明ではなくなった社会において、登場人物たちは互いに傷つけ合い、誤解し合いながら、つながろうとする。

その作品の序盤の方で、"You have to own your narrative, not let it control you."（自分のナラティヴに振り回されるのではなく、自分のものにした方がいい）というセリフが出てくるんです。自分の身体的特徴への悩みとか、セクシュアリティの揺らぎとか、スクールカーストとか、世間の評判とか、親からの重圧とか、そういったいろいろなことが絡まった登場人物が、典型的な「男らしさ」から外れそうだからこそ、かえってそのナラティヴに走って、それゆえに深い悩みに囚《とら》われたとき、主人公が助言として口にするセリフです。「自分のナラティヴを持った方がいい、それに振り回されるのではなくて」

朱　面白いですね。オウンってどういうニュアンスなんでしょう。

谷川　そこは私も気になっているところです。「オウンする」「所有する」という言葉をどう理解したらいいものか、私もまだ迷っているのですが、「ナラティヴ」という言葉も入っているし、私たちの考えてきたことを象徴するような文章だなと思ったんですね。「ナラティヴに振り回される」というのも、「言葉に乗っ取られる」という話を思い出させますから。「ナラティヴや言葉に乗っ取られるのではなく、それを自分のものにする」とはどういうことか。この問いが解ければと思って今日は臨んでいます。

生身の人間として抱く感覚を失わずにいること

谷川　結果的にこの話題が掘り下げられたら十分だというくらいなので、あまり最初からこの話題に左右される必要はないと思います。倫理や徳についてイントロでは話しました。朱さんはＥＬＳＩ《エルシー》の推進に関わり、企業での研修や教育に携わっていると思うのですが、その辺りについてお話ししてもらえるとうれしいです。

朱　僕自身ももう一〇年以上ビジネスにも従事していて、さまざまな企業での研修設計などにも関わったりするのですが、まずは日本でも最近話題になるＥＬＳＩ人材とその育成について話をしますね。「ＥＬＳＩ」とは「Ethical, Legal and Social Issues」（倫理的・法的・社会的課題）の略です。つまりいまビジネスで注目されているＥＬＳＩは、法律を守ることはもちろん、倫理的な観点、社会的な観点を加味した上で、データビジネスやエンジニアリングを考えましょうという発想のことです。この倫理・社会的な観点について、社内外でリカレント（学び直し）教育へのニーズが高まっています。

谷川　製品やサービスがアウトプットだけで競合との違いを十分見せられ、それで選んでもらえる時代でもなくなった。今はその製品やサービスが作られる過程で起こりうる問題や、それが社会に与える影響などにもコンシャス（意識的）であることを見せることが、プロダクト自体を選ぶ理由になっています。『新・ラグジュアリー：文化が生み出す経済 10の講義』（クロスメディア・パブリッシング）とか、ライターの佐久間裕美子《さくまゆみこ》さんが紹介する消費のトレンド（『ヒップな生活革命』『Weの市民革命』共に朝日出版社）は、この線上ですよね。朱さんは、この流れを踏まえて、「今や倫理が武器になっている」とよく表現していますね。

朱　二〇二一年に公開されたAppleのＣＭは、「あなたのデータは売られている！　プライバシー。これがiPhone」というのがメインコピーでした。同社は「プライバシー」という私的領域を尊重し、それを確固として守るんだということが表明されています。今や最先端のスマート機器の訴求点が、機能性や先進性ではなく、倫理性になっているという現状を端的に示しています。

こうした流れとビジネスにおけるＥＬＳＩの流行は直結しています。

ここでは、この話題をコミュニケーションの話につなげていきたいと思います。Apple のＣＭの例のように、焦点となるのは「倫理観はどのように伝わりうるのか」というコミュニケーションの問題になるからです。そこでまずは社員採用や研修におけるコミュニケーションの場面から考えてみますね。たとえば面接をするにしても、それなりに会話のキャッチボールができるかどうかとかは大切なことではあるんですけど、それだけではないんですね。やっぱり、自分たちのコミュニティに新しいボキャブラリーを持ち込んで、何か変化や反応が起きたりしてほしいところがあるわけです。以前杉谷さんが指摘した、つつがなく円滑にしゃべるというスキルだけならすでに社内にいるわけで、別に新たに招く必要がないわけですよ。単純に労働力を増やすという観点を除けば。

でも、新しい化学反応を組織内に起こすためには、自分の持っているユニークな言葉遣い、聞き手からすると耳慣れない新奇な言葉遣いを、こちらのボキャブラリーを踏まえてわかるように伝えてくれることが大事になる。円滑にしゃべるスキルというより、組織の側が面白がれるように新しい回路を開いてくれる人かどうかという意味でのコミュニケーション能力が、採用の大事な判断軸になるところがある。

僕が心掛けているのは、ビジネスパーソンとして新しく学ぶ会社の言葉遣いとか、ビジネスにおける常識とは馴染《なじ》まない、その人がもともと持っていたものを尊重することです。その人がもともとやっていた大学での研究だとか、サークルや生い立ちからくる知見だとか、一人一人生身の人間として抱く感覚、これってなんか不思議だ、変だ、ちょっと怖いといった感覚を失わずにいることです。「変にすれた人間にならない方がいいよ」という話をよくするんです。新しくビジネスのインサイダーになるときに、新しい言葉遣いやスキルを身につけて、既存の感覚を上書きしてしまうのではなくて、何かに出くわしたときの漠然《ばくぜん》とした感覚とか、何かのタイミングで「え、こんなことしちゃってんの、この人たち」と驚いたこととか、そういうことを温存して、その違和感を適切に表現する人の方が、かえって組織や企業にとっても有益なビジネスパーソンたりうるんです。

谷川　バズワード（流行語）とか呪文として「ＥＬＳＩ」と口にできるかどうかに本質があるわけではないんですね。これまでの自分の言葉遣いや感性がもたらす感覚や気分を殺さずに尊重しつつ、ビジネスや組織のノリとどう違うのかに目を凝《こ》らすことから、むしろ徳とか倫理みたいなものは始まる。朱さんの話は、「コミュ力」を、なめらかに話すスキルとしてではなく、もともとの感覚を上書きせずに、古い感覚と新しい感覚を橋渡しすることができるスキルとして再定義するものだと思います。この指摘は、入社みたいな場合だけでなく、新しくコミュニティに入るときならいつでも重要ですね。

業界人にならない

杉谷　この話って、もう今は昔で世間の人たちはみんな忘れているかもしれないけど、元吉野家の人のひどい発言がありましたよね。

朱　ありましたね。

杉谷　あの人の発言を聞いて、「本当になんでこんなことを言うんだろう」とか、「いわゆる男社会的なノリなのかな」と私は思ったんですが、それだけではないという話でしたね。二回目の対話で、朱さんは「あれはたぶん全身マーケティングの語彙に支配されている人間だから、そういう風にしゃべったんだ」と説明してくれた。あの出来事にいろいろな説明をする人がいたけど、私としては朱さんの説明が一番腑《ふ》に落ちたんですよ。そして、これは決して他人事ではなくて、やっぱりみんな陥りがちなことでもある。

自分たちの操る言葉に支配されずにいて、なおかつ、言葉を使って人とコミュニケーションをとっていくことの両方が求められているわけですね。研究者とか、業界の偉い人とかに特に求められている力だという気がしました。

朱　そうですね。

杉谷　少し前に、元舞妓《まいこ》の方が未成年への飲酒強要やセクハラが横行する花街の実態をＳＮＳで告発して話題になりましたが（二〇二二年）、今までは業界の内部に閉じられていて問題化しなかったんでしょう。それが表面化してくるときに、ポリティカル・コレクトネスに反対する人たちは「そんなんだと何も言えない」とか言うわけですけど、私たちは「問題はそこじゃない」ということを話してきたんですね、たぶん。つまり、自分のいる業界やコミュニティの用語や慣習とは別に、「いや、それ以外の側面も自分にはあるでしょ」ということ。なんというか、業界人にならないこと。

朱　いや、本当にそこですよ。

谷川　熱心なポリコレ批判者って、ポリコレだと思った途端に、その業界に関心のなかった人も寄ってたかって「ポリコレの検閲だ」とか言って擁護《ようご》しますよね。ＳＮＳやコメント欄、ネット記事やまとめサイトで、それなりに言葉が真似できてしまうから、すぐ業界人のように振る舞える時代だからこそ、急にわかったように「業界の慣習」を擁護し始められる。

朱　先の発言まで激しくなかったとしても、マーケティングの世界だと、「囲い込む」「ぶっ刺す」みたいな煽情《せんじょう》的な言葉を普段遣いする人が割と多いんです。こういう業界用語を使うことで、業界に入っていけるし、紐帯《ちゅうたい》意識が醸成されることもあるとは思う。でも、そこで立ち止まって一個一個にクエスチョンを挟めるか、その言葉遣いを自分なりにどうオウンする、乗りこなすかというのが大事。言葉に振り回されるのではなく、道具的に使うこともできるという視点ですよね。

「倫理」という言葉をめぐるすれ違い

朱　少し話を拡げると、データビジネスにおいて、個人情報の流出だとかいろいろな事件や炎上が起きました。就活生がよく利用する「リクナビ」（リクルートキャリア）が、利用者の明確な同意を得ずに、あるいは選択肢のない状態で同意させた上で「内定辞退率」を予想し、それを採用企業側に販売していて、厚生労働省から行政指導を受けるまでの事件になりました（二〇一九年に問題が発覚）。こういう事件が起こるたびに、定型文のように言われるのが、「これからは高い倫理観が求められる」というやつです。

谷川　Facebookが投稿表示を介してユーザーの感情に介入したとか、前回も挙げましたが、ケンブリッジ・アナリティカが二〇一六年のアメリカ大統領選挙へのロシア介入をサポートしたとかいろいろありましたね。後者はもう倒産しましたが。

朱　そういう事件がいろいろあって、世界的にも最高倫理責任者（Chief Ethics Officer）を設ける企業がアメリカのメガプラットフォーマーを中心に増えています。他にも、ＡＩを作るときのエシカルプリンシプル（倫理指針）を作るなど、倫理系の仕事は確かに増えていて、エンジニアが倫理学を修める例もあります。「データ・サイエンス」としていわゆる理系分野の学術領域とビジネスを架橋《かきょう》するニーズは黎明《れいめい》期からのものですが、現在では「データ・エシックス」と位置付けられて、文系分野の学術領域との架橋が求められはじめています。

谷川　倫理指針というと、国内でも人工知能学会などが発表していますよね。透明性、法令順守、プライバシーへの配慮、フェアネスなどが指針の中身としてよく挙げられるみたいですね。企業が倫理指針を発表する事例も増えてきましたが、「そういうトレンドだし一応掲げとくか」という話にも見えて、どの程度真面目に掲げているかはわからないなとも思います。

朱　そこなんですよ。日本でも決まり文句として「倫理が大事」とはいうわけですが、この英語圏や欧州の動向とは違っている。同じ「倫理」という言葉を使っていても、全然違うことを意味しているようだというのが調査してみてわかったんですよ、最近（長門《ながと》裕介《ゆうすけ》・朱喜哲・岸本充生《きしもとあつお》「データビジネスにおける『ＥＬＳＩ』はどこから来て、どこへ行くのか」『研究　技術　計画』第三七巻、二〇二二年）。

一般生活者二万人とデータビジネスに関わる方一〇〇〇人を対象に、私も所属している大阪大学のＥＬＳＩセンターで、倫理学者たちと一緒に作った調査です。その結果の一部だけ紹介すると、「データビジネスにおいて今後の課題は何か」という質問に対して、「倫理が大事」という見解は技術的な話以外であれば筆頭に来るぐらい課題としては共有されているわけですね、日本のデータビジネス従事者の間で。その上で、みんな口にする「倫理が大事」の中身を深掘りするために、倫理の拘束力に焦点を当てた質問をしました。「倫理が大事」と言っているけど、「やった方がいい、その方がいい」という努力目標みたいなニュアンスと、「絶対的に守るべきもの」という一種の義務とみなすニュアンスのどっち寄りに立っているのか。蓋を開けてみると、結果はほぼ半々だったんです。

ここからいろいろなことが読み取れますが、二つほど指摘しておきたい。まず一つは、同じ「倫理」という言葉を使ったり、「倫理指針」を作ったりしていても、全然違うことを考えている人が組織の中に半々ずつくらいいるかもしれないわけです。これは由々《ゆゆ》しき事態だと思います。もう一つは、今回のイントロにあった宗教の話題にもつながるんですが、アメリカは今も信仰が根づいた宗教国家ですよね。そういう文化も背景にして、ＧＡＦＡ（アメリカの主要なＩＴ企業であるGoogle、Apple、Facebook、Amazonの4社）を筆頭とするメガプラットフォーマーは、「絶対にやってはいけないこと」「必ず守るべきこと」として倫理を語っている。たとえば、「人間の自律性を守るためにＡＩにこんなことはさせません」とか、「顔認証系の技術は容易に人種差別につながるから、今後は採用しません」とか。実際に人種問題に敏感な北米や欧州では、一度普及した顔認証系の技術に急激なブレーキがかかっています。このように、義務として守らねばならないものとして自分たちに課すというのがこちら側の倫理の言葉遣い。

それと比較すると、日本社会における「倫理」「エシックス」という言葉って、そういう拘束性が緩《ゆる》いと思われている。「エシカル消費」（社会課題の解決などに資する「倫理的な消費行動」を奨励する言葉）という流行り言葉に体現されるように、やらねばならないことじゃなくて、やった方が格好いい、やった方が世の中にいい、やったほうが環境に優しいという努力目標的な用法なんですよ。「グリーン」とか「エコ」も似たようなノリを感じます。

谷川　むちゃくちゃ面白い。日本でSDGsがこんなに流行っている理由もそこにありそうですね。SDGsって、その「倫理」「エシカル」の語感と似ていて、拘束的な義務というより、努力目標的でふにゃっとしているところがあり、受け入れやすいのかもしれない。

朱　日本企業が打ち出す倫理指針って、「みんな頑張ろう」みたいな精神論になりがちなんですが、欧米に進出する場合、ふにゃふにゃした倫理指針を掲げたデータビジネスは信頼されないから、かえってリスクになる。

谷川　二回目の対話で話した「信頼」（トラスト）に通じますね。どんな種類の倫理を果たすかが欧米社会においてチェックされて、信頼の基準になっている。ちなみに、先ほどの具体例にあった「顔認証は人種差別につながりうる」という話は、たとえば、肌の色の情報を取得・解析した結果、そのデータが特定の人種集団の何らかの傾向性を示唆《しさ》していたら、「○○って、やっぱりこういうやつらだ」という人種的ステレオタイプが再強化される、みたいなことをイメージしたらいいですか。

朱　たとえばそういうことですね。顔認証や画像処理技術のようにさまざまなビッグデータを基に開発されたアルゴリズムは、一見すると誰かが主観的に判断するよりも客観的で公平なように思われますが、実のところ私たちの社会の現在備えている不均衡や差別的な現状をそのまま学習し、再生産してしまうことがありえます。

「それは業界トークにすぎない」と相対化してくれる倫理

朱　もう一個面白いことがあって、データビジネスの従事者に「倫理とは何か」と聞くと、「社会人として守るべきこと」という回答が筆頭に来ている。

杉谷　ここでイメージされているのは、たぶん職業規範とかビジネスマナーですよね。

朱　そうそう、マナーみたいな感覚で「倫理」という言葉が使われている。そのノリで「倫理は大事」「そうだね」で終わっていたら、すれ違いで何事も前に進まなくなってしまう。もちろん、日本社会でもデータビジネス従事者の半分くらいは、「人類にとっての基本的な理念だ」という英語圏的な倫理の捉え方をしているんです。倫理という言葉をめぐる大きなすれ違いが、国内にも、国外との間にもあるわけですね。

谷川　自分たちがどういうすれ違いを起こしているのかを自覚するようすがのない状態って大変なので、貴重な研究ですね。

朱　そうなんですよ。この研究から言いたいことって、イントロに引用されていた杉谷さんの発言と同じで、「解像度を上げる」ことなんです。「倫理は大事だ」という話でストップしていては、「倫理」という言葉をオウンできないし、乗りこなせていません。言葉に踊らされていますよね。「倫理」というボキャブラリーについて理解することは、じゃあ倫理についてどんなふうにみんなが考えているのかとか、倫理を持ち出したら何かできるようになって、何ができなくなるのかといった、一連の話題についてわかっていなきゃいけない。自分が漠然と思っていることを明示化して、お互いに付き合わせてみて、「あ、お互い言っていることが結構違うよね」という状況を明らかにするところからじゃないと、組織やチームとして倫理について話を始められない。

このすれ違いを明らかにするファシリテーター役を、哲学者や倫理学者、あるいは僕のような一種のインハウス・フィロソファー（企業内哲学者）が担えるんじゃないかと思っています。言葉についての議論をコーディネートして、議論を整理したり、みんなの持っているいろいろな考えを明らかにしたりした上で、「同じ言葉を使っていても、違うことを意味していますね。じゃあどこから掛け合わせていきましょうか」みたいな話ができるんです。

谷川　「倫理」に限らず、「想像力」「創造性」「イノベーション」みたいなフワッとみんなが同調できてしまうマジックワードにも該当しそうな話ですね。実際には噛《か》み合っていないことも多いでしょう。「倫理」の話は、そのモデルケースですね。ちょっと話をネガティヴ・ケイパビリティにつなげていいですか？

杉谷　ええ。

谷川　私たちは、いろいろなボキャブラリーを保持して多様化することが大事だという話をしてきましたが、あるコミュニティに入ってもそれ以前のノリを持っておくのって、当然これは難しいことですよね。誰しもわざわざ排除されたいとは思わないから、入ろうとする共同体のノリやボキャブラリーは無視しがたい。社会心理学者のジョージ・ハーバート・ミード辺りをベースにした議論で指摘されることですが、人は社会的役割に沿って行動するうちに、それに応じた感情や態度も形成されるところがある。つまり、「ユーザーを囲い込んで……」と最初は形を真似て言っているだけでも、そのうち言葉と自分の間にギャップがなくなっていくわけですね。人間にはそもそもこういう特性があるからこそ、朱さんの話は大事だなと思ったんです。

哲学者や英語圏の人が使う「倫理」という言葉は、共同体の文化や常識にかかわらず、絶対に尊重すべきものを指しています。だから、この「倫理」という言葉は、その場で要求されるノリや、「こういう強さを身につけなさい」という組織内の規範を相対化する力がありますよね。「倫理」だけでなく、「正義」「フェアネス」「人権」「義務」といった言葉も同じですが。

朱　まさにそうですね。

谷川　この業界のボキャブラリーが私に考えさせていることなんて些細《ささい》なことで、それは業界トークにすぎないと、すごく遠くの基準でもって相対化してくれるのが倫理だという側面がある。ネガティヴ・ケイパビリティが、今所属している共同体のノリに引きずられないことを含むのだとすれば、絶対に尊重すべきものを置く「倫理」って、相当な重要性を持ちそうだなと思ったんです。

ソクラテスのような人が身近にいないなら

谷川　朱さんの調査や議論にすごく惹かれるんですが、もっと一緒に考えたいので困難を感じた点について続けさせてください。それは、今いる会社の言葉遣い、自分の家族や親族の持っているノリ、趣味で仲良くしているコミュニティの雰囲気など、自分の一部になった言葉を相対化してくれる人や考えとどう出会うのかという問題です。会社のノリに馴染もうとする新入社員に、「いや、それ以前の感覚を忘れずにいた方がいい」と助言してくれる朱さんみたいな上司とか、「あなたたちはこういう考えにコミットしている」「絶対に守るべき倫理の観点からすると、このサービスにはこんな問題がある」と外側からコメントしてくれる人がたまたまいれば幸せですけど、運任せにもできないじゃないですか。

あるボキャブラリーがもたらすノリを相対化する余地を確保するものって、そういう声をかけてくれる他者ですよね。古代ギリシアのソクラテスは、まさにそういう存在だったわけですけど、誰かが共同体に適応したり、共同体が何かに熱心に取り組んでいたりするところに、わざわざブレーキをかけてくれる人って、現実にはそういない。そういう他者を望めないとして、それでも自分で何かをしなければいけないとき、言葉に振り回されず、ナラティヴに踊らされずにいるためにやっていく手がかりってどこにあるんだろうかと思うんです。

朱　一回目の対話を収録したときから思っていたんですけど、やっぱりフィクションが大事なんじゃないかと考え続けていたんです。それは手がかりになるだろうと。

谷川　なるほど、そうかもしれない。こないだ読んだ心理学の論文だと、ノンフィクションよりもフィクションを読んだ人の方が他者の心理状態に関する想像の度合いが高まった、つまり共感力を育むのに寄与《きよ》するのはフィクションの方なんじゃないかと示唆されていました。踏み込んで言葉にすれば、ビジネス書を読むよりもフィクションに触れる方が、すれ違いや対立を含んでいる複雑で繊細なコミュニケーションをする上ではよっぽど役に立つかもしれないということです。

杉谷　へぇ、そうなんですか。

谷川　心理学者のシェリー・タークルとかも同じ路線で、文学のようなフィクション作品に触れることの重要性を指摘していました（『一緒にいてもスマホ：SNSとFTF』青土社）。何十年も前から学校の先生たちが「文学は大事だ」と繰り返していた昔ながらの定型文は、実は今こそ輝かせるべき言葉なんじゃないのか、と。それはそうだと思うんです。フィクションは、自分とは違う事情や考えを持った他者を想像する訓練になっていて、その意味で他者性をインストールするきっかけにはなる。

虚構を介してアイデンティティについて語る

朱　フィクションを擁護したいものの、でもやっぱり難しいなと思ったのが、当事者性の問題です。僕が研究しているリチャード・ローティは、人間や社会集団を“incarnated vocabulary”と表現しているんです。受肉したボキャブラリー、つまり、言葉が具体化したものが私たちなんだと（『偶然性・アイロニー・連帯』）。そういうイメージを持って聞いてもらうとわかると思うんですが、自分を深いところで形作っている言葉、あるいはアイデンティティの中核にあるボキャブラリーは、距離をとったり、相対化したりすることが極めて難しいんですよ。そこから離れること（＝デタッチメント）なんて考えられないというくらい、自分を作っているものなので。

その困難を考える上で、今回の対話に合わせて読んだ小松原織香《こまつばらおりか》さんの『当事者は嘘をつく』（筑摩書房）が非常に面白かった。研究者であり、当事者性を持った方が自分の性被害について語る本です。でも、その語る言葉自体が、常に虚構的な言葉になってしまわざるをえない。つまり、物語的に再構成してしまったり、いわゆる「当事者」的な言葉遣いを持ち込んだりしてしまって、うまく語れない。被害経験については語るそばから嘘をついているような感覚に陥るんだという話が書かれている。

それはその通りだなと思ったんです。言葉って、自分が完全にオーナーにはなりえないものじゃないですか。そんなものは、ウィトゲンシュタインの否定した「私的言語」みたいなもので言葉たりえない。つまり、言葉は常に公共的なものだからこそ、私たちは完全にオウンしきることはできないわけですね。

谷川　だとすると、「乗っ取られる」「振り回される」の対義語として、「オウン」という言葉を置くのは悪手だったかもしれないですね。

朱　話が逸れたので少し戻しますが、なんでフィクションと言ったかというと、自分に組み込まれた言葉は、自分がその言葉に巻き込まれすぎているので、いわば絶対化されているわけですよね。だから、それに対して相対化するようなこと、冷や水を浴びせかけるようなことを言われると、「ここはさわりたくないし、考えも変えたくない！」という反応をしてしまう。でも、そこに虚構的なものが挟まると話は変わってくるんじゃないかなと。

一緒に何かを鑑賞して、それについての言葉遣いをまた批判、批評的なものとして紡《つむ》ぐであるとか、あるいは仮想事例の中でマイノリティ性やマジョリティ性について議論してみるとか、そういうことを通じて、かろうじて自分が深くコミットしてしまっているものから少し距離をとって話すことができたりするのかもしれない。フィクションであれ、そういう言葉でも話せるという経験が踏めると、いつかはそれを自分に適用できるかもしれない。そういう希望を持つための回路があるとすれば、ここなんじゃないかということを考えていました。

谷川　媒介《ばいかい》を置くことですね。自分の実存の核とか傷つきやすい部分について、直接語ろうとするのも大事かもしれないけど、何かを介して語ること、婉曲的《えんきょく》で遠回りにすることも同じくらい大事ですね。虚構的なものを間に置くと、自分がどんな言葉からできていて、どんな風にオウンしきれていないのかを検討しやすいのかもしれない。

「歴史」という相対化する視点

杉谷　そういう自己相対化ないしメタ認知について考えるとき、私は「歴史」のことを考えるんです。私の弟の杉谷直哉《すぎたになおや》という政治史の在野研究者がいるんですが、彼は、戦前日本の政党とメディアの歴史について研究しているんですね。これが面白い。かいつまんで言うと、戦前日本では政党政治が崩壊しているわけですが、じゃあなんで政党政治は当時失敗したんだろうということになるわけです。これは、現代を扱う政治学者も関心を惹かれるような問題です。

暗殺があったり、社会情勢の不安定化を背景に軍部が台頭してきたりいろいろあるわけですが、原因としてよく言われることの一つが、当時の政党が党利党略のことばかり考えていて腐敗していたからだというもので、外圧要因だけでダメになったわけではないと語られることが多いみたいなんです。それに対して、私の弟は、いや、政党もそれなりに民意を吸収していたと議論するんです。それはその通り。

「だとすれば、なぜそんな政党までダメになったんだ」という疑問が出てきますが、弟によると、当時の新聞の影響が大きい。実際に当時の新聞を見てみると、「政党は全然ダメだ」とずっとこき下ろしている。それを見た現代人が「なるほど、新聞もこう言っているし、やはり政党への不満や不安がこれだけ高かったんだ」と思ってしまうんだけど、そこで弟はメタ的な話をするんですね。そもそも、当時の新聞の語り方が悪いと。新聞は「政党は民意を吸収しろ」と言っているけど、政党の実際の取り組みはほとんど関知しないし、今と違って取材も甘いから揚げ足取りみたいな報道ばかりなんですね。

今まで日本の政治史では、こういった視点はあんまり語られることはなかったんです。言葉には語られたコンテクスト（文脈）があるはずで、当時のボキャブラリーを知らない現在の研究者たちが、当時の新聞の言葉遣いを、あまりにも真に受けてしまっている。弟はそれにツッコミを入れたわけですね。もちろん当時の諸政党が完璧だったわけもないし、新聞の批判は一面では正しいのだろうけど、少なくとも、メディアが政党腐敗や政党批判の風潮を煽《あお》り立てたという側面を否定しちゃダメですよね（杉谷直哉「『地方メディア』の政党論：島根県の地方紙・郷土人雑誌の分析から」『洛北史学』二〇号、二〇一八年）。

「Twitterとかネットの記事とかで、昔の新聞記事とかを紹介して、「え！　昔ってこうだったんだ」みたいなベタな反応が書かれていることってありますけど、歴史という時間の隔《へだ》たりは、今言ったみたいなすれ違いを生み出しかねないわけです。歴史という視点は、自己相対化というか、ネガティヴ・ケイパビリティにつながるやり方の一つだと思ったんですね。

朱　確かに。

谷川　今って、ポッドキャスト番組の影響もあったりして、好景気の頃にあったみたいな「歴史から学ぶ」「教養としての歴史」の静かなブームが来ているんです。でも杉谷さんの指摘は、今の感覚で過去を見るのではなく、過去と今の隔たりを理解しようということなので、「歴史から学ぶ」のとは違う方向性ですね。

杉谷　「相対化された視点を持つ人がその場にいないときどうするんですか」という谷川さんの問題提起は重要ですね。それにもう一つ言えるとすれば、今の私たちに望めなくても将来の人たちが今の私たちを相対化してくれるかもしれない。中曽根《なかそね》康弘《やすひろ》が、「政治家は歴史法廷の被告である」と言っていて、彼の性格を考えると格好つけでもあるとは思うんですが、いい言葉だとも思うんです。

朱　政治家じゃなくても歴史に裁かれる面がある、ということですね。

杉谷　そうです。「私のことは後世の人が判断する」という視点をどれくらい持っているか、今の人がこの言葉にどれだけ応えているかというと微妙なところだと思います。「歴史が裁く」というのは、裁かれるのは先だから今何やってもいいという逃げ口上《こうじょう》にもなりうる危険な論理ではあるけど、やはり見逃せない手がかりの一つがここにあるのも確かだな、と二人の話を聞いていて思いました。

優れたフィクションで他の人の物語に触れる

谷川　朱さんと杉谷さんの指摘を踏まえても、さらに疑問というか、どうしたらいいんかなと思うことはあるんです。今いる共同体、今の自分のノリを絶対視せずに相対化しよう、あるいは、自分を形作るボキャブラリーから一定の距離をとることも大切だということに、私たちは合意できていると思うんです。でも、果たして自己相対化は目的にできるのかどうか。フィクションや歴史に触れるとき、「私のボキャブラリーを相対化しよう」と思ってそうすることって普通はないですよね。

イントロでも使った例を再話しますね。山口つばささんの『ブルーピリオド』という漫画があって、これまで手堅く世間の「定石《じょうせき》」通りにやってきた主人公が急に美大受験を志すのですが、その方針転換について母親を説得しようとするシーンがあるんですね。そこで、いっちょ母親の絵でも描いて見せたら説得しやすくなるだろうと、最初はやましい動機で絵を描こうとするんです。そこで、スケッチしようと母親の動作に注意を払ったり、日常で考えていることをトレースしたりする。つまり、ずっと一緒に暮らして、よく見知っているはずの母親をそこではじめてちゃんと見るわけです。そうすると、母親がどんなことを考えて自分や家族と接しているかということに、自分がいかに無頓着《むとんちゃく》だったかということに気づく。

ここに自己相対化の契機があるけど、それは目的になっていない。スケッチするとか、母親を説得するという別の目的や動機があって、メタ認知や相対化は結果的に達成されたわけです。観察やスケッチのような、別の活動にたまたま付いてきた。だから、業界人にならずに以前の感覚を保持しておこうということを欲望するために、自己相対化は大切だとしても、相対化そのものは目的たりえないと思うんですよ。伝わったかわからないですが、そんな風に思って。

杉谷　いや、わかります。

朱　うん。フィクションは、まさにそこがポイントだと思うんです。当たり前ですけど、僕たちは別に自己相対化を目的としてフィクションに触れているわけではない。それでも、優れたフィクションに接すると、結果的に他者の人生を味わうことができたり、自分には理解不可能に思えるような特殊なボキャブラリーを使っている人たちを内側から眺めることができたりする。そこに教育効果があるのは確かですよね。

杉谷　私も、何かのきっかけで自己を引いて見る契機が得られる可能性があれば、それは素直に肯定していいんじゃないかと思うんです。たとえば、町田奈緒士さんの『トランスジェンダーを生きる』を読んだときもそうでした。同じ大学院出身でやりとりもあるんですが、実は深く会話したことはなくて、町田さんってどういう人なんだろうって気になっていたし、その人の博士論文だし読んでみようかと思って開いてみたら、予想もしない世界が広がっていたというか、「ああ、なるほど」と感じ入るところがあったんです。だから、自己相対化を動機としているというより、他の人の物語に触れようとする姿勢なんだろうなと思います。

谷川　やはり、フィクションや人の言葉への関心が先にあって、別に自己相対化を欲していたのではないわけですね。

人の話を聞くほど対立が深まる？

杉谷　これまでの谷川さんのように、あえて気になることを言うと、「でもそういう姿勢を持つ人がどれくらいいるか」と問われると心許《こころもと》ないところがあるし、それを世界の全員に要求してしまうと、「私はできているが、君はできていない」みたいな抑圧の道具にもなりかねないわけで。

さらに言えば、谷川さんが今回の対話に向けて勧めてくれたクリス・ベイルの『ソーシャルメディア・プリズム：ＳＮＳはなぜヒトを過激にするのか？』（みすず書房）という本も参考になりますね。要するに、他の人の物語に触れれば触れるほど、バランスのとれた中庸《ちゅうよう》的な見解になるのかというと、そうではないという話です。この知見を明らかにした実験研究によれば、党派によって反応が異なっているそうです。詳しくは本を読んでほしいのですが、このまとめはかなり単純化していることを断っておきたい。また、いずれもアメリカにおける実験なので、日本にどこまで当てはまるかはわかりません。ただ、それらを差し引いたとしても、かなり興味深い含意が提示されていると思います。

谷川　党派的なトピックで対立陣営の考えに定期的に触れると、以前はそのトピックについては穏健・中庸だとしても、かえって自陣営の見解に合わせて意見を調整するようになるようだという話ですね。これは、むちゃくちゃ衝撃的でした。「相手の話を聞こう」「話し合おう」みたいな素朴な助言が、実はかえって対立を深めるという話なので。

杉谷　対立陣営の声が攻撃として耳に届くので、一種の防衛として、自分たちの世界観をより強固なものにしていくということでしたね。だとすると、この閉塞《へいそく》した状況は、「自分たちの立場は攻撃にさらされている」という風に、対立する二つの陣営のどちらもが感じていることに由来しているという話で、これはどうすればいいんだろうと思うわけですよ。

今回の対話で朱さんが最初に話していたように、マーケティングなんかの文脈で、より多くの人に訴求したいというとき、多数の視点を考慮するために自分たちのやっていることを相対化することは、すごく有効だと思うんです。他方、政治となると、現代ではアイデンティティ・ポリティクスといって、あるアイデンティティの利害を代表する活動を求めるような政治形態が前景化しているから、互いに一歩も譲れなくなったり、批判や議論を攻撃だと感じたりすることがしばしば起こります。

これは別に悪いことでもない。ただ、そうなってしまうと、政治が自分の世界観を守ることとイコールになってしまうわけですね。いわゆるアイデンティティ・ポリティクスは、自分の属性や状況が最初に来て、そこから政治へのアプローチが始まりますが、アイデンティティを基盤にしている以上、妥協《だきょう》は極めて難しいからです。もちろん、そうしないといけないくらいマイノリティにとって状況が過酷であるということはあるけれども、それが政治の主戦場になると、「自立した個人が自分の頭で考えて、いろいろな人の意見を取り入れて、民主的な討議をやっていきます」という従来的な民主主義の前提がいよいよ通用しなくなる。本来、取引や妥協というのは、民主主義にとって大事な要素の一つだった。それが機能しなくなるわけですからね。この難しさがフィクションや歴史によって解けるかどうか、私にはまだわからないんですけど。

谷川　直接のレスポンスにはならないですが、『ソーシャルメディア・プリズム』の著者が提示した手がかりの一つが、まさに『ブルーピリオド』みたいな「観察」の可能性でしたね。いきなり相手方と対話しようとするな、その人の関心事は何なのか、そして、その人が自分の関心事をどんな風に表現しているのかを、たっぷり時間をかけて観察するんだと。意見や体験が異なっている他者といきなりコミュニケーションをせずにいる注意深さを思い出させるものとして、「観察」はいいキーワードかもしれません。

成田《なりた》悠輔《ゆうすけ》とエビデンスの問題

杉谷　最近気になっているのは、アルゴリズムなんです。今すごく活躍している成田《なりた》悠輔《ゆうすけ》さんの『22世紀の民主主義：選挙はアルゴリズムになり、政治家はネコになる』(SB新書)という本がありますね。ビッグデータを解析して人々が望むものを明らかにし、それに向かって政策を自動的に形成していけばいいという話です。成田さんの議論の背景にあるのが、私の研究している

「エビデンスに基づく政策形成」（ＥＢＰＭ）です。

　ＥＢＰＭは私の専門なので、簡単に補足しますね。これは要するに、科学的な根拠に基づいた政策をつくって、それを実施していこうよ、という話です。問題は「エビデンス」の中身ですね。ここで一番大事だとされるのが、「役に立つ」政策です。ある特定の効果を生み出すことができる取り組みをしっかりやる、効果があるかないかわからない政策はやめましょう、というノリなんですね。何が役に立つかを明らかにする方法としては実験や統計など、最近になって発展しているいろんな手法が使われます。世界中で大流行しているといっても過言じゃない潮流で、日本政府も頑張ってこれをやろうといろいろな取り組みをしています。

　ＥＢＰＭに関しては、どういった政策がいいのかとか、どういう制度がいいのかといった具体的な論点がいっぱいあって、私も論文を書いています。が、それと同時に、別の角度から気になる論点があります。それは、政策論争において、「エビデンス」を金科玉条《きんかぎょくじょう》のごとく掲げることの意味なんですね。デウス・エクス・マキナ（機械仕掛けの神）という言葉があります。劇とかでごちゃごちゃになって訳がわからなくなったとき、都合よくすべての収拾を一挙につけてくれる存在ということで、もともとは機械の舞台装置から来ているそうなんですが、この今ある複雑で面倒な状況を一挙に解消する方法として、デウス・エクス・マキナのようにアルゴリズムとかエビデンスというモチーフが出てきている。政治の話に絡んで、この辺りの論点をどう考えているのか、お二人に聞きたいなと思ったんです。

谷川　ひろゆきが相手を黙らせたいときに「その主張を支えるデータあるんですか?」「エビデ

ンスあるんですか？」と口にすることからわかるように、丁寧な議論や論証を避けて相手を黙らせるときの決め台詞みたいになっていますよね。それに、「エビデンスです」って出されたら、データの妥当性にたいていの人は関心を持たない。この点は、データビジネス従事者でもある朱さんからのコメントが気になります。

「契約」の前提が崩れ、世界はポスト同意社会へ向かう

朱　どこから話そうかな……。データの話に絡めて、順を追って整理します。以前だとメガプラットフォーマーがデータを好き勝手に扱えていたところがあるのですが、現在その流れははっきりと変わっています。法整備という形で現れてきたのは二〇一八年に施行されたEU（ヨーロッパ連合）のGDPR（一般データ保護規則）で、アメリカの一部州でもこれに追随するような法整備が行われています。日本でも二〇二二年四月に個人情報保護法が改正・施行されました。

こうした流れを一言でいうと、データ「主権」の企業から個人への移転です。つまり、データとはそれを取得・管理・利活用する企業のものではなく、データを生産している個々人のものだという流れになってきた。いかにプラットフォーマーがシステムに投資してデータ取得環境を整えていても、それをユーザーが利用し、何らかの行動をしないことには個々の「データ」は誕生しません。この意味で、データについて権利を有するのはあくまで個人なんです。個々のユーザー

が、あくまで自身が権利を有するデータを個々のプラットフォーマーに預けているだけだという話になっている。

その上で、やはり「同意」が大事だという話なんですが、二回目で議論したように、ちゃんと同意することってすごい大変なことなんですよね。先ほどＥＬＳＩセンターの調査の話をしましたが、そこで利用規約とかプライバシーポリシーを読んだ上で同意している人がどれくらいいるかと聞いているんですが、いつも確認している人は８％くらいでした。

杉谷　読んでないなー。

朱　調査機関のピューリサーチセンターが二〇一九年にしたアメリカの調査でもほぼ同じ結果です。ときどき確認している人までカウントしても、３割オーバーくらいだというのが私たちの調査で、６割以上の人は基本見ていないというわけなんですね。でも、実際にはサービスを利用するとき、同意したことになっちゃっているわけですね。わが身を翻《ひるがえ》っても、何かアプリを使いたい、サイトを閲覧したいというとき、いちいち細かくチェックせずに読み飛ばしたり、読まずに同意をクリックしたりする人はかなり多いはずです。

これは、近代社会の前提である「契約」という建前が崩れているという話ですよ。医療でもインフォームド・コンセントといって、いろいろ医療者が説明を加えた上で、患者が自分でセカンドオピニオンを得て自分で考えて同意するということになっていますが、同じように、いつでもちゃんとチェックしたり考えたりした上で同意するのは難しいし、ものすごく面倒くさい。

その認識が拡がったこともあって、世界的には「ポスト同意」へと向かっています。同意以外のやり方を構想する。アメリカの連邦取引委員会（ＦＴＣ）の委員長であるリナ・カーンは、「プライバシーポリシーなどを読ませて同意をとるというやり方は時代遅れだ、ユーザーの要求に応えられていない」と言っています。こうした形式的な同意ではなく、実質的な制限という仕方で、ユーザーのニーズに応えなさいと言っているんです。

カーンが講演したのと同じカンファレンス（IAPP GLOBAL PRIVACY SUMMIT2022、ワシントンＤＣ、二〇二二年四月一二－一三日）で、Apple のＣＥＯであるティム・クックは、「Apple は単なるプラットフォーマーではなくルールメイカーだ」と語っています。ＦＴＣの人間がいるのに、「ルールを作るのは自分たちだ」と明言するのはすごい話ですよね。それを明言した上で、「私たちにとって最も大切なのはエシックスであり、エシカルであるということが競争力をもたらすんだと考えている」と続けている。倫理について深く考えている私たちに任せてください、という論法ですね。

これが杉谷さんの話につながっています。インフォームド・コンセント、つまり情報を与えた上での同意という理念は、もちろん大切なんだけど、認知的負荷が高いし大変なので、倫理的な人に委ねた方がいいんじゃないかという流れが英語圏を中心に生まれつつあるという状態です。そういうとき、みんな「トラスト」（信頼）だと二言目には言い始めるんですよね。もちろん、バンジージャンプみたいに互いにリスクがある場合は同意を文書で交わすなどのように、何でも同意抜きになるという話ではありませんが。

リバタリアン・パターナリズム（ナッジ）――倫理的な少数者による支配

朱　これと政治で起こっていることはパラレルですよね。理解する負荷が高いし、そうするメリットも見えづらい。でも、さっきの例で言うなら、バンジージャンプや医療と同じように、政治は人の生死に直結している話でもあるので、建前であっても「同意」や「契約」という前提を崩せないだろうとは思うんです。

そうなんだけど、確かに一人一人が処理できないほど多様な情報に溢《あふ》れている中で、どうやって情報処理の負担を下げて、みんなが参画できる社会を作るのかということは、ビジネスでも、政治でも等しく重要な問題になっている。とりあえず、ここまでは言えます。

谷川　政治についてしっかり「同意」を形成しようとすると、複雑な政局や政策論、それに関する研究者の指摘などを各党についてやり、他国や歴史との比較の視点を持つ……みたいなことをやらないといけないけど、何らかのハンディキャップを抱えている人や、集中するだけの余裕を仕事や家事で削られている人は、これをやり通すってしんどいですよね。さまざまな人が関わりやすい仕組みや工夫があった方が、社会としては開かれている。

杉谷　法哲学者であり、行動経済学者のキャス・サンスティーンが『選択しないという選択：ビッグデータで変わる「自由」のかたち』（勁草書房）という本を書いていますね。かなり単純化して言えば、何でもかんでも選択する／させるのではなく、デフォルトで特定の選択肢、市民にとって長期的にプラスになるような選択を促すような制度を整えていくことの可能性についてですね。

谷川　社食や学食で栄養価バランスの取れたメニューを選ばれやすい位置に置いておくとか、硬い椅子を置いておけば長居する人が全体として減るとか、たとえばそういう事例ですね。人が特定の選択を選びやすいように状況を傾ける戦略のことで、「ナッジ」とも呼ばれる。

杉谷　サンスティーンは、ナッジ路線を支える思想のことを「リバタリアン・パターナリズム」と呼んでいます。リバタリアンは、政府を極小化して個人の自由を極大化する立場で、パターナリズムは「お前にはこれがいいんだ」という形でよいとされる選択肢を押しつける立場。この二つは相反しているんですけど、サンスティーンはこれらを組み合わせた。「選ばない自由もあるんだよ」と個人の自由を残しつつ、その人にとっていいものを選びやすいよう状況を設定するというのがリバタリアン・パターナリズム。これって、さっき言った成田さんの提案と近くて、エビデンスに基づいた完全自動化社会は、おそらくリバタリアン・パターナリズムに則《のっと》って運営されるんでしょう。

朱　そうですね。その話と、さっきから言っている「倫理が大事」とデータビジネスで言われているという話はパラレルになっている。谷川さんのイントロにあった、道徳的完成主義とも組み合わさる可能性もあるなと思うんです。つまり、倫理的・道徳的に優れた少数のエリートが、社会や世界のルールを作り、アルゴリズムを支配する方がいいんだという考えに近接している。テイム・クックのルールメイカー宣言ですね。これって、Appleは倫理的だからユーザーから選ばれている、それはトラストに基づく信託なんだと言えば聞こえはいいけれども、一種のアリストクラシー（貴族政治）で、優れた少数者による支配という発想が流れ込んでいる面がある。

徳とか倫理のような個人の資質に着目するような論法だと、結局、こういう話に通じてしまっているので、「アルゴリズムによる統制」という話に私は乗りづらいところもあります。何よりもまず、そちらに踏み出すことのいろいろな問題について、まずはちゃんと直視することですよね。その上で、手続き的な民主主義として同意・契約を突き詰めるよりも、徐々にナッジ路線にスライドする部分が、どの分野でどれくらいあっていいのかということを考える必要がある。成田さんの話も、僕はそれくらいの温度感でしか受け取れませんでした。

谷川　社会学者の稲葉《いなば》振一郎《しんいちろう》さんが『社会倫理学講義』（有斐閣）を出したときに書いたウェブ記事と近いかもしれません（「権威主義はびこるダークな世界で、エリート主義な『徳倫理学』が流行る『意味と危うさ』」現代ビジネス）。数十年にわたって哲学・倫理学で「徳倫理」と呼ばれる立場が復興しているのですが、それは権威主義やエリート主義の興隆と裏腹であり、徳倫理と競合する立場である「功利主義」や「カント主義」などが目指してきた専門家と非専門家の対等な関係を保証する路線と違っているという整理がなされていました。ちょっと専門的な話ですが、哲学の潮流と社会のトレンドは別に切り離された場所にあるわけではないんですよね。

デカい話は、自分がルールメイカー側だと錯覚させる

杉谷　谷川さんは、成田さんの話をどう受け取りましたか。

谷川　アルゴリズムや機械学習が差別や偏見を学習しかねないから注意しないといけないみたいな話にも分量が割かれていて、さすがアメリカのテック文化を通った人だという印象はありました。テレビやSNSでテクノロジーが未来を切り開くんだって煽りまくっている国内の人たちに比べると、多様性や公正さについての語彙が多くて、比較的穏当に見えてしまいます。

ただ、気になることもあるんです。それは、この種の言説にふれる人たちがどんな目線に立っているかということです。エビデンスで自動的に合理的で最適化された判断や政策が形成されて実行されていくって、アニメ「PSYCO-PASS《サイコパス》」みたいな世界ですよね。成田さんの本は民主主義についての話ですが、「PSYCO-PASS」では、自分のキャリアは、リクナビのすごい版みたいなやつにレコメンドされて、そこから選ぶのが当然だし、システムは、今日着る服も天気や予定に合わせてサジェストしてくれる。

この手の大きな社会構想を話す論者たちって、読者をそういうアルゴリズムやルールを構想・運営する側の視点に自然に立たせているところがありますよね。落合陽一《おちあいよういち》さんとか、古くだと堺屋太一《さかいやたいち》とかアルヴィン・トフラーも同じですが、『22世紀の民主主義』を読む人は、自分が民主

主義や未来社会のグランドデザインをする側に自分を無意識に置いてしまう。そこが問題なんじゃないですか。ネットレビューをざっと見た限り、自分が知らずに選択肢をナッジされる側だという視点の人はいない。

効率よく効果的に下々《しもじも》を統制する側の目線なんですよ。自分や自分の周りの人がエリートから零《こぼ》れ落ちる側かもしれないという視点はなくて、なんとなく勝ち馬に乗っているつもりになってしまう（厳密にいえば、成田さんの場合は、統治に少数のエリートすらいらない社会を想定しているようですが）。特に『22世紀の民主主義』に特徴的なのですが、「はみ出し者」目線なのにドライな文体で書いているし、煽り気味かと思いきや、ピーター・ティールなどと比べても明らかに穏当な部分も多くて、順を追って丁寧に読むと、乗っかりやすい主張が並べられている。つまり、アウトサイダー目線なのに妙な恨みがましさがなく、逆張りっぽく見えるんだけど穏当な部分もあるというバランスが、多くの読者に乗っかりやすさを作っているところがある。

この呑み込みやすい「はみ出し者」感、「逆張り」感がポイントなのかなと。日々生きていて疎外を感じている人が読むと、自分はアルゴリズムによる統制を思い描ける側、つまり、トラストを託される優れた少数者側にいると錯覚できて、自尊心が刺激されるところがある。結果的にそう感じさせる文体になっていて、成田さんの本はよくできているなと思います。賛成するにしても反対するにしても、この本に対する感想は今のところ視点が乏しいなと思いますね。

第7章　公と私を再接続するコーポラティヴ・ヴェンチャー
――関心、実験、中間集団

何でも自分事化してはいけない

谷川　『インターネットは民主主義の敵か』（毎日新聞社）を書いた、先ほど名前が出てきたキャス・サンスティーンは、フィルターバブルやエコーチェンバー論の先駆けになるような研究を進めました。ウェブは人と人をつなげるどころか分断を深刻化させるところがあると彼は言うわけです（『#リパブリック：インターネットは民主主義になにをもたらすのか』勁草書房など）。こうして分断の問題に気づいた私たちは、さまざまな対立の埋め方を考えてきて、結局のところ「対立陣営の意見に触れることも大事だ」という話をする人も割と多い。

でも、クリス・ベイルの『ソーシャルメディア・プリズム』によると、それは事態を悪化させかねない。対立陣営寄りの意見を持っていたり、中庸的な立場をとっていたりする人でも、対立陣営の言説を定期的に目にしたり、論争に巻き込まれたりすると、それを「攻撃」だと感じて自陣営の意見のパッケージに合わせて自分の意見をチューニングする可能性があるからですね。

ベイルの本が暗示しているのは、社会のさまざまなコミュニケーションにＳＮＳが浸透するということは、ＳＮＳが自己開示や自己表現を伴うものである以上、社会のあらゆる側面がアイデンティティの問題になっているということですね。だとすると、どんな対立意見や反対意見も「自分自身への批判」として受け取ってしまうのは、自分自身のインタレスト（利害や関心）の輪郭が見えなくなっていることの証《あかし》なんじゃないかと思うんです。

あるトピックが誰かの実存に関わる問題だとしても、それが「自分の問題」かどうかはわからない。自分自身のあり方に深く影響しないなら、急いで意見を持とうとしなくてもいい。ただ黙って観察する時期があってもいい。たとえば、国防って大事な問題だけど、年収が限定的な人にとっては消費税や社会保障の方が喫緊《きっきん》の課題でありうる。大学院卒の人なら、奨学金や科学技術政策、子育て世代にとっては教育政策が重大ですよね。こんな風に、それぞれの暮らしがもたらすインタレストがありますよね。つまり、インタレストには自分なりの秩序や優先順位があるはずだということです。なのに、それが見えなくなり、社会課題が等しく自分の話になってしまっている。

どんな出来事や対象も自分の世界観を構成するものとして扱い、それに対する反対意見は何であれ攻撃として認知してしまうような状態は、自分のインタレストを見失うことでもあるなと思ったんです。うまく言えてないと思うんですが、伝わってますか。

朱　わかります。その話は、二回目の対話とも絡んでいて、僕なりに言うと「関心」の負の側面というか、本来そこまで自分事化しなくていいことがいっぱいあるはずだということですね。

谷川　そうなんです。何でも自分事化して、「自分がコメントしないといけない！」という気にさせるのがSNSだと思います。安倍《あべ》元首相の銃撃事件（二〇二二年七月）とか国葬儀（二〇二二年九月）、統一教会とか、ロシアのウクライナ侵攻とか、社会のさまざまなことに関心を持った方が当然いいんですけど、「関心を持つ＝自分事」にしなくていいはずですよね。自分の主要なインタレストから遠いなら、「自分」に接続せずに問題を問題としてクールに扱うことだって立派な関わり方です。

もちろん、関心旺盛な人に対して「こういうのがよくないんだよな」とシニカルな批判を投げるのは違うんですけどね。そういう俯瞰《ふかん》ムーブって、一回目の対話で話した「愚かさの批判」そのものなので。

関心がありすぎることの何が問題なのか

杉谷　それって、一回目の対話でも少し話題に上がった「関心のない人たち」と「関心がありすぎる人たち」という対比ですよね。この対比が大事だなと思うのは、今の社会にはこの両極端しかないように見えるからですね。『ソーシャルメディア・プリズム』では、SNS上で顕在化しているのは「関心がありすぎる人たち」で、論争的な話題に前のめりになりすぎている。こういう人たちにとって安倍さんの国葬儀をめぐる対立は、ほとんどアイデンティティの問題ですよね。

朱　いろいろな理由を語っていても、たぶん結論ありきでしょうからね、あれは。

杉谷　極端なことを言うと、私個人は安倍さんの国葬儀がどうだとかよりも、岩手県の選挙次第で自分の勤めている県立大学の運営がどうなるかの方が順序としては気になるわけです。もちろん、だからといって国葬儀の問題がどうでもいいというのでは決してない。どちらが大事かという問題の話をしたいのではなくて、ここでは次のことを考えたいのです。たとえば、個々人の私的利害は脇に置いて、もっと公共の利益を考えて、公共的に議論した方がいいという昔からの民主主義の教えがありますよね。論争的な話題に対して前のめりになりすぎている人たちの論争に、中道派や意見が明確でない人たちがときどき巻き込まれ、明確に党派的な意見を持ち始めてしまうというのは、この教えを真っ当に突き詰めすぎた結果なのではという気もする。

もちろん公共性は大事です。でも、人間は公共的であると同時に、どこまでいってもプライベートな部分をなしにはできない。だから、この二つのバランスをとらないといけないのではないか。つまり、公共的なものの背後にプライベートなものがしっかり控えていないといけない。自分にとっての私的利害は一体何なのかということがないと、公《おおやけ》の議論ってできないんですよね、本当は。

谷川　私たちの話は、「自分の利害や関心をちゃんと育てたり、自覚したりした先に公共性を立ち上げよう」という路線なのかもしれないですね。業界人的な言葉遣いに浸《ひた》って、それ以前に身につけた言葉を失うのではなく、これまで身につけてきた自分のボキャブラリー、それこそ受肉した語彙をちゃんと自覚しておくということですよね。そういうプライベートなところが大切だけれど、衰退しているように見える。

その点で面白いのは、さっき言った成田さんの話とか、あとは歴史学者のユヴァル・ノア・ハラリの『サピエンス全史：文明の構造と人類の幸福』（河出書房新社）をはじめとする「人類史」や「文明史」を俯瞰《ふかん》した巨視的な議論の人気ぶりです。こういうデカい話は、生活者としての感覚なんて入り込みようがない俯瞰ぶりなので、自分のインタレストとは無関係に成立するし、プライベートな部分とギャップがあっても関係ありません。その点は、進化生物学や行動経済学も同じですかね。

この種の話題がビジネス書コーナーでも人気なのは、プライベートからくる関心や感覚を見失っていても問題なくインストールできて、公共的な言葉として使えるからじゃないかと思います。朱さんの言葉を借りれば、新しいボキャブラリーに一個一個疑問を差し挟むみたいなことが自分の中で起こりにくいから、さっと学んで同調しやすいタイプの議論ですよね。

過激な物語に絡めとられないための「プライベートなもの」

谷川　朱さんは、このプライベートなものを育てることの困難さについてはどう思われますか。

朱　この話めちゃくちゃ大事ですね。いや、ほんとに。二回目の対話でもあったように、プライベートな側面を大事にしましょうという話は、ＳＮＳの性質を考慮すると一層重要だと思います。ＳＮＳって、プライベートなボキャブラリーと、政治的な議論を含むパブリックなボキャブラリーが綯《な》い交ぜになっている場所ですよね。一応鍵をかけたり、ＤＭや表示、リプライ範囲などをコントロールできたりもする。そんな媒体でどう振る舞うべきか難しいんだけど、Twitter に張り付いていてコミュニケーションをしているつもりになっても、少なくともそれだけではプライベートは充実しないとは思うんです。総体として見ると、ＳＮＳはパブリックな空間、公共空間だと言わざるをえないので。

ちょっと飛躍があるのを自覚して話しますが、相当に極端な政治的立場にコミットする人たちの中には、プライベートな領域を耕す余裕と機会がないゆえに、そちらに傾いてしまうことが多分にあると思うんです。プライベートが悲惨《ひさん》だとかえって、陰謀論とか極端に過激な意見を信じて、公共的に発信してしまうという回路が一つありうる。

なぜそう思うのかというと、あくまで一つのエピソードとして話しますが、僕は父が在日大韓基督《キリスト》教会という一世紀以上の歴史を持つ在日コリアン系のキリスト教会で牧師をしていて、赴任地としてあちこちの教会で育ったんですね。二〇〇〇年代になって、在特会（在日特権を許さない市民の会）とかですね、いわゆるネトウヨの社会運動が激しくなったとき、虚構言説を信じた人たちが教会にやってくることが少なからずあった。それで、在日コリアン系の教会って良くも悪くも土着的・家庭的な空間であることが多くて、みんなでご飯を食べたりすることもよくあるんですね。そこにデマを信じた人がやってきたとき、好戦的になるよりかは、ちょっとお茶でも飲みながら話を聞こうかという人たちが少なからずいた。そういう風に話を聞いてもらっているうちに、排外主義的な言説を真《ま》に受けていた人が、敵対視していたはずの在日コリアン系教会にくるようになって、しばらく教会コミュニティに居ついたという事例を見聞きしました。もちろん、秘教的道徳のところでも指摘されていたように、こういう共同体への包摂《ほうせつ》って、牧師との依存的な関係になることもあって、単純にいい話とも限らないんですけどね。

要するに、正負両面あるものの、プライベートなボキャブラリーをどう豊かにするかという問題があるだろうという話ですね。居場所というか、自分が安心して居心地よくいられる空間の問題と表現した方がいいかもしれませんが。

杉谷　朱さんもたぶんかなり自覚的に話されたと思うんですけど、「政治に興味があるやつなんて、どうせプライベート充実してねえんだろ」って話に聞こえますが、そうじゃないですよね。

朱　そう。そういう話になるとまずい。

杉谷　そういう話ではなく、公的なものをしっかり立たせようと思ったら、自分の中でのプライベートな部分をしっかり持っておく必要があるという順序の問題なんですよね。つまり、身近なところで他人との豊かなつながりを持った上で、公共空間に参入しないと、過激な物語にすぐに絡めとられちゃうし、他人との会話もできなくなっちゃう。

谷川　過激な物語に絡めとられてしまうって、いい言葉ですね。一つの言葉に乗っ取られる、過激なナラティヴに絡めとられる。

パブリックとプライベートをつなぐ中間集団

杉谷　市民参加だとか、一八歳投票権とかで張り切っている政治学者のレトリックにも悪いところがあるんですね。政治に関心のない人たちに「あなたは政治から逃げても、政治はあなたを逃さない」というフレーズをみんな多用するんです。最初に使ったのは誰だったか忘れたんですが、これって要するに恫喝《どうかつ》なんですよね。「政治に関心を持て」と。「政治は自分と関係がないと思ってるかもしれない、そこのあなた。実は関係あるんですよ。あなたの暮らしが苦しいのは政治のせいなんです」というナラティヴで絡めとろうとするわけですね。無関心な人たちを。

谷川　政治を自分に対する呪縛《じゅばく》みたいにフレーミング（視点の枠組みを提示）したら、世の中の政治の話題を聞くとき、良くも悪くも「自分の話」として聞いてしまいますよね。でもそれって単なる動員じゃないですか。

杉谷　そう。右派左派関係なく、自分の主題に関してそれをやるわけです。これって、私はよくないと思うんですね。これを真面目に聞いたら、どこまでもどこまでも強迫的に調べて考えさせることになる。「あれもこれもお前たちの暮らしに関係あるんだ、政治から逃れられないんだ」というのは呪いをかけて無理に覚醒を迫っているように思えてしまうんですよ。

朱　まさにその点が大事なところですね。さっきなんで僕が教会の話をしたかというと、教会はその一例に過ぎないんですが、「中間集団」や「コミュニティ」のことを念頭に置いていたんです。中間集団は、個人・家族と国家の間にあることからそう呼ばれる言葉ですが、ひとまずコミュニティと区別なく使います。で、この種の共同体って、パブリックではあるんだけど、プライベートな親密性もあって、公私綯《な》い交ぜになっていますよね。自分と社会が一足飛びにつながる前に、公共性の手前に顔の見える共同性がある。でも、そこにいるのは家族ではなく第三者で、私たちはそういう共同体で言葉遣いを共有したり、時間と場所を共有したりしている。

谷川　コミュニティや中間集団が多かれ少なかれ崩壊ないし変質しているから、それを復権しないと、という話はよくあるわけですが、公私を再接続する中間集団って、こういう文脈で聞くと面白いですね。

朱　そういう集団がフラクタルみたいにたくさん重なり合って存在しているのがパブリックな空間なんだけど、その巨大なものにリアリティを感じるためには、パブリックとプライベートの両面ある「中間集団」や「コミュニティ」みたいなものが大事なんじゃないかな。一八歳選挙権とかって、学校と家庭しか知らない状態から、いきなり公共的な単位での想像力を持つことが難しいのは、そこにも理由があると思うんですよ。

大学新入生が家庭とか地域から切り離されて、カルトやネットワークビジネスに絡めとられるのも、この観点からするとよくわかります。学校でも家庭でもないタイプの集団に包摂されることの温もりや安心は、決して軽視できない力を持っているところがあるので、宗教的なものに免《めん》疫《えき》がなく、そういう集団の温もりに触れた経験の少ない人が、そこに絡めとられることが当然起こってくる。

政治も個人のことも語れる中間的な場所

杉谷　今の日本だと、一八歳になると投票はできるけど、高校生は政治参加が禁止されているんですね。北欧とかでは、学生たちも社会運動をやっているし、それが若者の投票率が高いことの理由の一つになっているから、私は日本でも高校生の政治参加をするべきだと思うわけですね。しかし、アンビバレントな気持ちもある。というのも、政治学を学んでいる北欧の大学院生二人に、「北欧と比べて日本の政治教育はダメだ」みたいな話題を振ると、「カズヤの話もよくわかるんだけど、私たちは政治しか共通言語がないところもある」と言うんです。

まず、「昨日の○○って番組見た？」みたいなのと同じノリで政治の話をしていて、必ずしも深いことを話しているわけではないし、受け売りも多いんだと。政治っていうのが、いい意味でも世間話の一つになっているから、ジャパニーズが思っているほど、極端に優れた何かが展開されているわけではない、と彼らは苦笑交じりに言うんですね。これは、結構いい指摘だなと私は思ったんです。

もちろん二人が言っているのは、一部の極端な意見かもしれないし、北欧って一口に言っても幅広い国々なので一概に語りがたいけれど、こういう側面が全くないということもないわけですね。

谷川　そうか。ちょっと変な言い方ですけど、政治に関する「北欧神話」ができちゃってるんですね。かつてなら終身雇用と家族的な親密さに支えられて、企業が中間集団あるいはコミュニティになっていたけれど、新自由主義、あるいは新しい資本主義の影響下で、企業が中間集団的な役割を担えなくなってきた。現代では、ネットやSNSがその空隙《くうげき》を埋めて、中間集団の代替物になっている。そういう整理ができる。もちろん、最後の部分には私たちは抵抗しようとしているわけですが。

私たちの目指すべき「中間集団」は、パブリック（国家・社会）とプライベート（個人・家族）の間にあるという意味で、空間の面で中間的であるだけでなく、政治はもちろん個人的なことも語り合えるという意味で、言葉の面でも中間的である必要があるということなのかもしれない。北欧の院生たちとの会話から読み取れるのは、そういうどっちつかずの言葉が許容される場所の重要性なんじゃないですかね。

さらに言えば、今ネットを通じて政治に関心を持ってしまうと、パッケージ化された関心に自分が乗っ取られるようなところがありますね。「リベラルです」「保守です」と表明したら、今まで知りもせず、関心もなかったものも含めて、すべての主題について意見がパタパタと決まってしまう。あるいは、相手や自分の陣営の人たちの期待によって決められてしまうと言うべきかもしれません。政治参加はした方がいいけど、既存のナラティヴに絡めとられないために、中間集団を通じて自分と公共社会を再接続するというやり方があるんじゃないかと。こういう緊張関係の中に、ネガティヴ・ケイパビリティはあるんでしょうね。

ＳＮＳの可視性から逃れるには

朱　「中間集団が大事だ」という議論はしばしばあるんですが、でも課題が変わっているとすれば、ＳＮＳをはじめとするテクノロジー環境の変化で、言論空間の性質が変わったというのがありますよね。前に三人でやりとりしているときに着想したことなんですが、ＳＮＳを利用することって、ポジショナリティを迫られる事態が頻繁に生まれますよね。

たとえば、プロフィール欄に何を書いてどんなシグナルを出すのか、どんな言葉遣いを選ぶのか、何をリツイートするのか、そういう一個一個が誰にでも目に見える形で、自分のコミットメントを示してしまう。その人のアイデンティティを表示して可視化されてしまう恐ろしい空間で、そんなつもりじゃなくても、何かにコミットしたことになったり、知らずに党派に巻き込まれて特定の言葉を使わないといけなくなったりする。Twitter みたいなオープン型のＳＮＳはそういうことが生まれやすい言論空間ですよね。

この過剰な可視性を逃れて、自分だけのアイデンティティを考えるプライベートな時間・空間をどう確保するのかとか、あるいは、さっき無関心をあえて強調したみたいに、コミットメントしすぎている自分をセーブして、そこから自分を切り離すデタッチメントをどう確保するのかみたいな話になってくる。誰もがそう言うとは思うんですけど、僕自身は、具体的にはどうすればいいのかわからないところもあって。

杉谷　なるほど。

朱　利用調査を見ていると、若年層ほど、シェアやリツイートのような機能のあるオープンなSNSを使っていなくて、InstagramやTikTokといったもうちょっとクローズドなコミュニティ型のSNSに退却している。もうちょっと小さい集団への傾向が見られるのは、象徴的な感じはするんですね。オープン型SNSであるTwitterが結局何だったのか。

SNSは意見を持たない自由を奪う

谷川　ヒントになるかわからないけど、昔だと世論調査が、今のSNSみたいに政治に悪影響を及ぼすといって、批判されていたところがあるんですね。「世論」って英語で言うと、「パブリックオピニオン」ですけど、直訳すると「公論」「公的意見」。二〇世紀に入って世論調査が手法として整備され始め、いくつかの単純な質問で色分けされたパーセンテージが「パブリックオピニオン」として提示されるようになった。そこで「いや、これ世論じゃないやろ」って批判されたんです。公衆の意見とは、知識や熟慮をベースにじっくり形成するものであって、質問に「はい／いいえ／どちらでもない」を答えれば自動的に見えてくる表やグラフなんかじゃないと。それは真っ当な見識です。

ただ、政治家が「世論を尊重する」と口にするとき、世論調査の結果を参考にするようになるし、市民自身も世論調査で風向きを探りながら、自分の意見を形成するようになります。つまり、政治家がポピュリズム的な統制を働かせやすくなるだけでなく、市民の側も勝ち馬に乗ったり、浮動層的に流されたりしやすくなったわけです。確かに世論調査は、「意見」の名に値しないものを可視化したのかもしれないけど、その「意見」抜きには自分の意見を持てなくなっている。今だと、ＳＮＳってそういう社会的位置にいますよね。

朱　確かに。

谷川　もう一つ、世論調査もＳＮＳも意見を持たない自由を奪うところがある。「この政策や法案に賛成ですか、反対ですか」って聞かれたとき、知識や考えを持っていなくても、人はイエスかノーかと答えたり、ニュースやツイート投稿の受け売りで何かを話したりしますよね。それ以前は関心を持たないこともできたのに、ＳＮＳで何かが話題になったとき、自分もそれに対して意見を持っていないといけない気になる。

このあいだ知り合いの中学生としゃべっていたときに面白いと思ったのは、彼が「暗殺事件を機に安倍さんが話題になっているし、詳しく知らないから勉強しよう」と言っていたことなんです。それは立派な心掛けでもあるんだけど、その辺の中学生が「政治家の功績を知ろう」って、普通に生きていて急に思い立ったりしないと思うんです。でも、ＳＮＳやニュースで繰り返し安倍さんが話題になると、それについて知って、自分の意見を持たないといけない気にさせられる。話題になっているからといって、別に明確な意見まで持たなくてもいいわけですよね。そういう意味で、世論調査からSNSに至るメディアの歴史は、自分の意見を持たない自由を奪う歴史だったと言える。

Instagram や TikTok みたいなSNSはどうかというと、政治ではないけど、最近流行っている動画や言葉遣い、話題のお店やファッションなどで結局は同じことが起こっているように私には見えます。話題や流行の事柄に乗っからないといけない気にさせられる。だから、広い意味で「意見を持たない自由が奪われる」状態なのは、他のSNSも基本的には Twitter と同じだと思います。

朱　結局、中間集団の話が大事だと思うんです。中間集団って、それを通してみんなの利害をすり合わせてパブリックオピニオンに発展させていく媒介としての役割を持っていたところがあると思うんですね。

中間集団の崩壊なんて、社会学者のロバート・パットナム（『孤独なボウリング：米国コミュニティの崩壊と再生』柏書房ほか）をはじめとして大昔から言われている話なので今更すぎるような理論ではあるんですけど、そういう機能を代替するものについては考え続ける必要がある。それこそ、表現の自由を守れとか、そういう文脈に限ってはSNSを介して票が結集するけど、他のものについて同じことが成り立つとは思えないなという感じがします。

この世界には公と私の「あいだ」がない

朱　これは杉谷さんに振りたいんですが、二〇二二年七月の参院選で参政党がそこそこ票を集めたじゃないですか。Instagram や TikTok みたいな全体像が見えにくいＳＮＳを使って若者向けのメディア戦略をうまくやって、それなりにリーチしていたというのはよく聞くんですよ。この辺りについて聞いてみたい。

杉谷　今のうちの学生としゃべっていても、参政党を知っている人は多いですね。Instagram や TikTok で表示されることが割とあるのが理由みたいです。そこで使われているのは、講演やら何やらの「切り抜き」という文化ですよね。この辺りは谷川さんの研究領域だと思うんだけど、今の人は、数分の動画でも長いと感じて飛ばしてみたり、スキップしたりしてしまう。だから、一〇秒、二〇秒でバンと目を引くような動画がすごく流行る。参政党という、完全に新参者の政党が、この文化にうまく乗って力を持ってきたのは、政治とメディアの関係について、一つフェーズが変わったことをあらわしているのかもしれません。具体的な検証は、これからですけどね。

朱　わかります。さっき言いかけたことでもあったんですけど、中間集団が崩壊していく中で、政治団体がコミュニティに目をつけることがしばしばありますね。宗教団体が政治進出するというのもそうですし、自民党をはじめとしてユースサポーターズクラブとかを作って、そこでコミユニティ的なものを運営している。参政党のメディア戦略で、ややクローズドなＳＮＳに進出するというのもそうで、政治がプライベートなニーズ、人との豊かなつながりを持ちたいというニーズに応え始めている。

杉谷　全くおっしゃるとおりだと思いますね。政治がプライベートなものにまで手を伸ばしている。でも、それが中間集団と言えるのかというと結構微妙で、むしろ公共圏と親密圏が直結しちゃっているんですよね。

朱　そうそう、まさに直結してるんですよね。

谷川　アメリカで中絶の権利やセクシャリティ、人種という、極めて個人的でプライベートな問題が、最も政治的に論争を呼んでいるというのも、違った仕方で見えてきますね。公私が癒着している世界において、プライベートな事柄は人々の感情を揺さぶりやすく、政治的アテンションを集めやすい。

杉谷　私たちがずっと議論してきたのって、公と私が癒着している世界、一体化している世界のことですよね。ＳＮＳのプロフィールに何を書くかとか、個人的なはずのことまでもすべてがパブリックな問題になっていて、要するに「あいだ」がないんですよ。

朱　杉谷さんがさっき言った「政治はあなたを逃しません」という言葉が成就した世界、僕たちの一挙手一投足が政治の話になってしまうのがＳＮＳだし、Twitter などよりもクローズドな領域にも政党は手を伸ばしている。そうすると、やっぱりプライベートをどこに求めればいいんだという話になってくる。さっきは、フィクショナルなものに期待したけど、ネットではフィクシヨンを語ることも直接的に政治に絡めとられるのだとすれば、八方塞《ふさ》がりの感が漂ってきますね。

谷川　公私が短絡する世界って、心の闇とか沈黙が存在しづらい世界ですよね。内側にあるもの、プライベートなものが、媒介なく直接的に社会に露出していく。以前論じたことがあるんですが、『鬼滅の刃』（吾峠呼世晴《ごとうげこよはる》、集英社）や YouTuber の言葉遣いをはじめとして、心の中身を透かし見せる言葉遣い、いわば公私が癒着したものになっている（「2010年代ヒット漫画の饒舌と沈黙」『中央公論』）。これは、引き返せない大きな流れなんだと思います。

杉谷　テクノロジーの発達がプライベートを弱らせちゃったんですよね。プライベートの豊かなコミュニケーションのあり方を失わせた。ときどき地元の仲間で集まって、ワーッと飲み会で騒いで、「こんな濃いメンバーいねえよな」って決まったやりとりをする。これで、プライベートな関係が充実したことにしようとするけど、実際は単なる定型句で同調しているだけで、中間集団にはなってないですよね。

コーポラティヴ・ヴェンチャー——実験的日常を共有する

谷川　ちょっと角度を変えます。一回目の対話でも紹介したのですが、当事者研究で知られる綾屋紗月さんと熊谷晋一郎さんの『つながりの作法』という本の話をしたい。いろいろ魅力的な指摘はあるんですが、ここで指針として語られることの一つが、整合的でなめらかなコミュニケーション以外のつながりの作法を求めようということなんです。具体的には、言いっぱなし、聞きっぱなしができる関係性。

私なりに言い換えると、沈黙を共有できるというか、コミュニケーションのうまくいかなさごと共有できる共同体を作ろうということなんですよ。私たちが「中間団体」というゴテゴテした言葉で意味しようとしているのって、このことじゃないですか？

「実験的日常を共有する」という表現も『つながりの作法』には出てきます。実験って、定義上うまくいくかわからないことですよね。コミュニケーションも、自分の行動や活動も、誰かと一緒にやる活動も、成功するかわからないし、メリットがあるかどうかもわからないけど、とりあえずやってみる。失敗も含めて、そこで何か自由に取り組んでよいという心理的安全性の伴った共同性のことですよね。

参政党にしても、その他の話題にしても、パブリックからプライベートに「政治や公的空間に参加しなさい」という呼びかけがなされるとき、信じるべき意見のパッケージが用意されているわけですよね。「あなたはこの論点にこういう意見を持つという仕方で覚醒するのです」みたいな。これって、実験的で言葉足らずなコミュニティからはかけ離れている。だからこそ、こういうアプローチは問題なんだと言おうとしてきたんじゃないですかね、私たちは。

朱　すごく面白いです。今の話で連想したのがジョン・ロールズのことです。連載で政治哲学者のロールズを読み直しているんです（「公正（フェアネス）を乗りこなす」太郎次郎社エディタス）。そこで改めていいなと思ったのは、彼が「社会とはコーポラティヴ・ヴェンチャーである」という言葉遣いをしていることです（『正義論』紀伊國屋書店）。共同で実施するヴェンチャー、つまり「冒険」や「挑戦」なんですよね。だから失敗のリスクがつきまとうのが社会なんだという認識がロールズの根本にはある。社会を構成している個々人はみな、それぞれの利害関心があって、それは一致することもあるけど、やはり多くの場合には対立や衝突が起こります。しかし、それでも一人だけで生きるよりもよりよい暮らしが可能になるんだと信じて、危険に満ちているけども同時に可能性の方に賭けて一緒に冒険をやっていくんだという。

ある種命懸けで、みんなで何とかやらないといけないのが社会だから、少数の卓越した人や徳の高い人に任せるということじゃなくて、みんながちゃんと参画できるようにしなきゃいけないという発想がここにはあるんです。この「ヴェンチャー」という発想がいいなと思うんですが、ちょっと訳し方が難しいんですけど。

谷川　カタカナだと「ヴェンチャー企業」みたいな連想が働きますね。

朱　そう。だから、連載では「皆でとりくむ、命懸けの挑戦」（コーポラティヴ・ヴェンチャー）と訳したりしました。そんな風に社会を眺めると、もっと実験的なことを考えられるようになるので、いい視点だなと思うんです。間違いたくない、失敗はいけないという発想が強まっていく状況で、「いや失敗してもいいんだよ」と思えるかどうかは大きいですよね。ロールズ自身も、その上で失敗したときのセーフティネットをどうするかという発想になっていく。ともあれ、実験、つまりどこに何があるかわからないからこその面白さがあるわけじゃないですか。それが挑戦ですよね。絶対負けないゲームって楽しいの？　とも思う。

論破ゲームとか、かわいそうランキングみたいな弱者レースがそうです。アイデンティティに関わるような話題って、絶対負けない論法を使いたくなるけど、そういうポジションに立つのは違うわけですよね。「失敗するかもわからないけど一緒にやってみようよ」というリスクをとること特有の快楽や楽しみに、どうやって感化させられるか、そこにコミットしてくれる人を増やせるかということを地道にやるしかないのかなとか、そんなことを思いました。

谷川　「コーポラティヴ・ヴェンチャー」って、実験的日常を共有するヴェンチャーな共同性ですよね。先が見えないけど手探りで誰かと進もうとするという意味で、これはネガティヴ・ケイパビリティにつながっていきそうです。

公共性はあらかじめ存在するものではない

杉谷　混ぜ返すようでちょっとあれなんですけども、政治から退却できるというのも一つの特権ですよね。たとえばマイノリティの人とか、どうしても政治にコミットせざるをえない人たちってやっぱりいます。そういう意味では、それは「特権」と言っていいんじゃないか。ジャーナリストの佐々木俊尚《ささきとしなお》さんが『「当事者」の時代』（光文社新書）で、幻想の他者を代弁して誰かを叩いたり反対を封殺したりすることを「マイノリティ憑依《ひょうい》」と言ってブレーキをかけていましたが、それはそうです。でも、そこまでいかずに、いろいろなしんどい状況に置かれた人たちと一緒に政治を考えて、社会をよくしていくことはできるはずだし、マイノリティとの関係性にはグラデーションがあるはずだと思うんですよね。０か１００じゃなくて。「実験」というのは、まさにこのグラデーションを前提にしている。公と私が密着しない、「あいだ」に何かがある状態を模索するのも、そういう話。

谷川　そうですね。

杉谷　だから、「政治について考えなくても別に私は平気」みたいな居直りについて、私たちは話してきたわけじゃなくて、つながり方にもいろいろあって、いろんな問題の当事者たちと連帯する余地を残す上でも、関係性のグラデーションやバリエーションがものすごく大事なんじゃないかって話ですよね。実践するのは難しいけど。

朱　杉谷さんの言葉で僕の言いたかったことが見つかりました。さっき何が言いたかったかというと、「コーポラティヴ・ヴェンチャーとしての社会から、公共性が立ち上がってくる」ということなんですね、たぶん。プライベートには、いろいろな利害や思惑があるんだけど、一緒にやることによって互いの狭い利害を超えたり、お互いにとってウィンウィンになったりするかもしれない、だからやってみよう。これは、「失敗するかもしれないヴェンチャー（冒険、挑戦）なんだけど一緒にやってみよう」というところに、結果として公共性が立ち現れるという構成になっているんです。だから、「もともと厳然として存在する公共性に自分が参画する」という構図が今は強いけど、ロールズのヴィジョンは違っていて、パブリックなものって、結果的に立ち現れてくるものだよね、ということがポイントなんだと思いました。

谷川　そこで思い出したのが、フェミニズムの「個人的なものは政治的である」という標語です。これは一見、公私の短絡に見えますが、フェミニズムは経験を実験的に語り合う共同性を大切にしていますね。象徴的なのは、ZINE《ジン》という雑誌を自作する文化。フェミニズムは、「ガールジン」や「フェミニストマガジン」などと呼ばれる語り合いのメディアとともにあったんです(アリスン・ピープマイヤー『ガール・ジン：「フェミニズムする」少女たちの参加型メディア』太田出版)。だからむしろ、フェミニストって、親密圏から公共性を立ち上げるやり方、公私のうまい再接続のやり方を知りうる人たちですね。

意見表明ではなく雑談から

谷川　さっきの中学生の話もそうなんですけど、「すでにある公共空間に参加して、議論していく」という構図だと、すでに明確な意見を持っていて、ある種、揺らがないことが前提になっている。ネットのキャンセルカルチャーがそうですけど、極端に一貫性が要求されるというのはその証です。でも、さっきから話題のコーポラティヴ・ヴェンチャーや中間団体という言葉で指している共同性では、意見そのものはそれほど重要ではない。少なくとも、意見の表明からスタートしたり、「私はリベラルだ」「お前は陰謀論者だ」というラベリングから始まったりするものではないですよね。

朱　ですね。

谷川　『ソーシャルメディア・プリズム』が提示した解決策の一つでもあるんですが、最初から「いやトランプはともかく終わってるから」とか、「お前はトランプに賛成なのか、反対なのか一体どっちだ」というポジショナリティを明示した第一声は避けた方がいいということです。いきなり「この法案に賛成か反対か」「自民に賛成か反対か」という仕方じゃない関わり方、そうじゃない第一声から会話を始めなければいけない。言ってみれば、アイデンティティとかポジションは脇に置いて、もっと雑談から入れるといいよねってことです。政治や社会課題にいきなり接続せず、もっと不真面目な話ができる余地、雑談ができる余地を持つことが大切だということなんだなと、お二人の話を聞いて思いました。

割り切れないものを語り合う

谷川　以前、「人は本当に対話したいのか、どうすれば対話したいと思うのか」（『フューチャー・デザインと哲学』）という文章で紹介したんですが、パブリックカンバセーション・プロジェクト（ＰＣＰ）という試みがあります。中絶を容認する・しないの対立で現実の暴力や危害も起きている地域コミュニティで、この分断を埋めるという課題に取り組んだのがＰＣＰです。

実際のワークショップでは、いろいろな工夫や手順があるのですが、ポイントは「最初は徹底的に論争的な話題を避ける」という制限を課していることです。お互いの意見、政治的ポジションを決して明かさない。妊娠や中絶に関わる話題を話す場だということは了解しているけど、そこには入らずに、互いの家族の話、地域での過ごし方や子育ての苦労、生活で感じていることみたいな、素朴な日常会話から入るんですよ。つまり、雑談から。

ＰＣＰが優れているのは、雑談からいきなりバチバチの議論へいかないことです。ルールを課された状態で、段階を追って論争的なトピックに入っていくんですが、その中で、自分がその中絶をめぐる主題について割り切れない部分を明かす段階を必ず設けているんです。党派やポジションでは掬《すく》い取れない経験をしたり、微妙な感覚を抱いたりすることはあるはずですよね、誰しも。「中絶に賛成か反対か」という言葉からこぼれ落ちることについて、グレーゾーンについてどれだけ話せるかということをやる。

たぶん、たとえばこういう会話がコーポラティヴ・ヴェンチャーなんだろうなって思ったんです。実験的日常を共有するってこと。公私を癒着させるというか、個人から政治的な話題にいきなり飛ぶのではなく、一口には語りきれず、割り切れないことについてコミュニケーションする場所って、こういうことなんじゃないかって。ちょっとしゃべりすぎましたね。

朱　いや、ありがとうございます。でも、そうですね。

谷川　ただ、モヤモヤを語り合うのが大事なんだって結論は、確かにそうなんだけど、なんかすごくいい話になりすぎてて、どうかなとも思う。

朱　確かに。でも、単純に処方箋が書ける話ではないですからね。

第8章　イベントとしての日常から、エピソードとしての日常へ

――観察、対話、ナラティヴ

揺るがない信念や意見を持つことがいいわけではない

谷川　ときどき忘れそうになるけど、私たちはネガティィヴ・ケイパビリティについて話し続けているんですよね。今回の対話から導けるネガティィヴ・ケイパビリティの一つのあり方は、「意見はこうだ」と言わずに、誰かと一緒に過ごす力だとでも言えるかもしれません。この雑談に参加すると自分の意見が変わるかもしれない、この意見で取り組んでみても失敗するかもしれないという実験的な日常を誰かとシェアすること。

杉谷　法哲学者の那須耕介先生が、昔、京都新聞にコラムを寄せてたんです。その中で、今日の話と似た話をしていた。「時にはコケることもあるだろう、でも、コケた後にどれだけ華麗に受け身を取って立ち上がるかが大事なんだ」ということをおっしゃっていた（『つたなさの方へ』ミ

シマ社)。つまり、揺るがない確固たる信念を持つということが政治じゃないでしょ、というんですね。私はすごくいいメッセージだなと思って、自分の中で大切にしているんです。

確固たる意見を持った方がいいというプレッシャーがあまりにも強すぎると、かえって、コミュニケーションのあり方がおかしくなっちゃう。でも一方で、吉野家の例をまた出しますけれども、舌禍《ぜっか》や失言の可能性も常にあるわけですね。マジョリティの言葉が、マイノリティの人たちを脅《おびや》かすこともやっぱりある。

だから、「あいだ」なんですよね。もちろん何を言ってもいいわけではないけれども、まずいことを絶対に言っていけないわけでもない。この両端でバランスをとれる社会が、いい社会なんだろうなと思う。今はその余地がどんどん狭まっていってるんじゃないかなという気がしますね。

朱　どちらかに振り切れるのではなくってことですよね。

谷川　揺るがない意見や信念を持つことへの違和感の話、むちゃくちゃいいですね。哲学者の鶴見俊輔も、それと重なることを言っているんですよ。那須さんは鶴見さんと長らくやりとりがあったので、多少影響もあるんでしょうけどね。鶴見俊輔は、意見の持ち方を竹刀《しない》の持ち方に喩《たと》えて、「竹刀というのはギュッと本気で握り込んだら、いい試合にならない」というんですよね。ある種の力で叩かれたら落としてしまうくらい、やわらかく握るのが竹刀の持ち方だと。「パンッとやられて、駄目だったらポロッと落とす、それぐらいでいいんだ」と。「必要だったら竹刀を適切な仕方で握り直せばいい」というような話をしている。つまり、取り落とせるような意見の持ち方が、ちゃんとした意見の持ち方なんですね。

倫理とヴェンチャーの間で

谷川　でも、この話は今回前半に話していた「倫理」の話と相反するように聞こえます。「倫理」は確固たるものですよね。自分の感覚とかその場の状況とかにかかわらず、それでもなお維持されるべき原理です。この大切さと、コーポラティヴ・ヴェンチャーで経験する揺らぎの大切さ。この帳尻って、どう合わせたらいいのかなと思ったんですけど、朱さんどうですか。

朱　間接的な答え方になるかもしれないですが、とりあえず話してみます。「倫理は大事」ってみんな言うけど、意味されていることには相当ギャップがあって、日本では「やった方がいいこと」として倫理を捉える人が割と多いという話をさっきしました。これに対して、「日本語の倫理のニュアンスじゃダメなんですか」「なんで欧米基準の言葉遣いをしなきゃダメなんですか」という意見がありうる。

でも、データビジネスの分野では、ある種の論点先取をせざるをえない事情があるんです。つまり、アメリカの巨大プラットフォーマーが「絶対に従うべきこと」という規範的な意味で、「倫理」という言葉遣いをグローバルに仕掛けてきている。だったら、それをちゃんと理解しなきゃいけないし、対抗するにしてもこの前提を理解してやる必要があるわけで、この言葉遣いをちゃんと習得した方がいいですよという理路《りろ》になっているんです。

その上で、「日本語ではそういう意味で『倫理』という言葉を捉えるのは難しいし不自然だ」と言う人もいます。でも変ですよね。たとえば、ここにいる私たち三人は、ここまで話しているように西洋の言葉遣いを習得しつつ、カタカナ語も交えながらですが、日本語でコミュニケーションしているから、日本語話者だったら西洋的な「倫理」という言葉遣いに慣れることができないということはないわけですよ。実際、調査データでも相当数が、絶対に守るべき規範として「倫理」という言葉を理解してました。逆に欧米人ならみんな「倫理」という言葉遣いに卓越しているかというと、そんな訳があるはずもない。良くも悪くも、習得の問題ではあるんですよね。

「AI美空ひばり」の気持ち悪さをきちんと言語化すること

朱　エシックス（倫理）の語源が「エートス」（習俗）で、これって、倫理の基本姿勢が「私たちが大事にしていることについて、ちゃんと言葉にして体現しようと考える」ってことだという話なんですよ。日本語のコミュニケーションでは、ここをあまりに言語化しなさすぎた。だから、特定の団体や党派が「伝統的価値はこれだ」と勝手に言い始めたときに、日本語話者は割と絡めとられてしまう。

回り道に思えるかもしれないけど、「私たちが何を大切にしているのか」を探るために、何かがあったとき、漠然と怖いと思っているのではなく、まずは言語化してみて、それって何を気にしているんだろうねと考えてみることじゃないかなと。

一例としては、二〇一九年の紅白歌合戦に登場した「ＡＩ美空《みそら》ひばり」でしょうか。面白がった人もいれば、反発した人も、なんか気持ち悪いと思った人も、いろいろいると思うんですが、アーティストのデジタルツイン（現実世界のデータをデジタル化し仮想空間上に再現したもの）やＶＲでの再現自体は、Ｕ２のボノとか、マイケル・ジャクソンのコンサートとかいろいろな事例はすでにある。これらも広く「死後のプライバシー」として論点化されていますが、「ＡＩ美空ひばり」の件はもっと直観的なレベルで「気持ち悪さ」があったと思います。

ＳＮＳなどを見る限り、とりわけ気持ち悪がられたのは、ＡＩ美空ひばりが新曲を歌うことそのものではなく、美空ひばりを模したＡＩが「あなたのことをずっと見ていましたよ」とかって曲間で語ることでした。もちろん事実として見ていたわけはないし、端的に嘘なわけですよ。にもかかわらず、その発言を美空ひばりという人格に帰属させている。この語りが、故人の人格を何らかの形で傷つけているんじゃないかという感じがするわけです。これは哲学のボキャブラリーでいうと「インテグリティ」（尊厳）の問題です。たとえばこんな風にすれば、「抱いていた気持ち悪さや反発がこういう言葉で説明できるんだ」という例にはなると思う。こうした説明の仕方は、大阪大学ＥＬＳＩセンターの同僚でもある倫理学者の長門裕介さんから教わったのですが、倫理学にはこのように漠然としたものを明示化するという役割もある。

何が言いたいのかというと、「倫理的なボキャブラリーは難しいから、それはエリートしか、あるいは西洋人しか使えないんだ」ということではなくて、私たちが漠然と持っている感覚として、つまりエートスとして根づいている部分があるはず。潜在的にあるはずのものについて言葉にしてみるという営みをちゃんとやっていく。それだけの話なんじゃないかなと思うんです。もちろん、それもまたそれなりの難しさがあるんですけど。

谷川　「絶対に従うべきもの」としての倫理、規範的な意味での倫理の形成も、実験的日常を共有した先にあるけど、日本語でのコミュニケーションは、それを「なあなあ」に済ませがちだった。そうやって済ませているものを言葉にしていくことも、コーポラティヴ・ヴェンチャーの大切な役割なんだということですね。その意味で、実験的に「意見」を形成することなしに、絶対守るべきものとしての「倫理」を掲げるということもできない。

公私の間に「共」（コモン）が必要

谷川　私自身の思考の整理を兼ねて、これまでの対話の大筋をまとめてもいいですか。

杉谷　どうぞどうぞ。

谷川　政治や社会課題などを公的領域として、個人のアイデンティティや親密性に関わることを私的領域とすれば、陰謀論、「政治からは逃れられない」というレトリック、政党や宗教団体による動員のゲームは、公私を一挙に接続してしまう。それに、SNSというテクノロジーも、公私の短絡を助けるような働きを持つところがある。無媒介に公私をつなげると、対立陣営の言葉なら何でも「自分の世界観への攻撃だ」と感じてしまい、すべてがアイデンティティの問題に回収されかねない。攻撃されたと感じる私たちは、自分たちの立場を先鋭化させて、陰謀論的なナラティヴや、極端に党派的な考えに絡めとられてしまう。

そのプロセスで問題になるのが、近代デモクラシーが前提としてきた「何にでも関心を持つべきだ」「自分の頭で考えろ」「確固とした意見を持て」という命題です。その中で、一問一答的な世界観で把握しようとしたり、適度に複雑な陰謀論的なナラティヴに絡めとられたり、特定の共同体のノリに乗っ取られたり、特定の言葉に乗っ取られたりする。そうなったらまずいから、公私の間に何かを差し挟んではどうかと。よく使われるのだと、公私に対して「共」。

朱　コモンですね。

谷川　そう、コミュニティとかコモン。アソシエーションという言葉が使われることもありますね。サードプレイス論もこの文脈で読むことはできます。で、今回だと、中間集団、コーポラティヴ・ヴェンチャー、あいだ、実験的日常を共有する関係性、経験を語り合うメディアとかですね。もちろん、インテンションとアテンション、エビデンスとアルゴリズムによる統治、トラストやポスト同意など他にも話題はありましたが、今の会話に続いている議論の道筋は、だいたいこんな感じですよね。

互いの感覚を実験的に言語化していく場所

谷川　公私をつなぐもの（＝媒介）、一階と二階をつなぐ階段の踊り場みたいな場所について話してきました。これを説明するキーワードは、「実験」だと思うんです。あるいは朱さんがヴェンチャーの訳語として当てた「冒険」や「挑戦」。いろんな言葉遣いや、いろいろなプライベートな事情を持っている人たちと、成功の約束されていないことに一緒に取り組んでいくことです。朱さんの言葉を借りると、これまで言葉にされてこなかったことを誰かと一緒に言葉にしようとする実験として捉えられると思うんです。これって、二回目の対話で言うと、暗闇の中にあった違和感とか、お互いの違和感の違いに、ちょっとずつ光を当てて、その共同の直観みたいなものを彫琢《ちょうたく》していくことですよね。そういう実験的に言語化していく場なのかなと思ったんですけど、こういう理解でいいですか。

朱　全くその通りだと思います。僕自身の経験を振り返っても、そう言われてみれば本当にそうだなと思って。たとえば大学のゼミって、そういう場所だった気がするんですよね。人格攻撃じゃない形でお互いを批判して相手の議論にツッコミを入れたり、言葉を紡《つむ》ぐことのサポートをしたりする、ある種のヴェンチャーでした。スパーリングパートナーや伴走者のような役割を互いに対して果たすのがゼミでの議論だった。一定のルールがある対話だったし、一定の主題に関心が限定されていたからそれができるんだなと思います。僕にとっては、これがゼミとか大学での経験の大きな部分でした。

谷川　確かに。公と私のまじりあった汽水域《きすい》というか、どちらにも軸足を置いて話せる場所として、ゼミナールや読書会のような機会は大きいですね。

朱　でも、社会全体でみると、そういう場は意外なほど少ないですよね。もちろん、企業内でも、プレゼンのためにみんなでディスカッションするとき、主題とルールがあって健全な批判を向け合うので、ゼミに通じるものがありはするんですが、ただプライベートな話にはならないですね。ざっくばらんに言葉にして、お互いの言語化を助け合う場所って、他にどんな風に設定できるのかは大きな課題かもしれません。

自分たちの暮らしと利害に根差した集団を作る

杉谷　かつては、それをわざわざ設計するという視点で考えなくてよかったんでしょうね。投票率が下がっているのも、共通の利害を形成していく中間集団が弱体化したからというところがあります。その中で、集票・動員しようとなれば、公私を直結したようなメッセージを出してしまわざるをえない。

私がやっている政治学の授業で、圧力団体と呼ばれる集団の話をすることがあるんですね。そいつらは自分の利害を自覚しているから、それが他の人たちの利益とは違うことを知っていて、ロビイングとか陳情とかで政治家に訴えていく。結果としていろいろな規制やルールが生まれる。たとえば、車検って日本車の性能のよさからすると、あそこまで頻繁にやらなくていいのに義務付けられているのは、地元の自動車整備業界とかが、そうする合理性があるんだと筋道立てた上で圧力をかけていくんです。これは、政治学では「集合行為問題」と呼ばれます。

ポイントは、車検する自動車整備工場の側はまとまるけど、多くの消費者は団結しないことですね。車検反対を訴えるすごく強い消費者団体があるわけではないので、車検で生活を営んでいる人たちの意見が通ってしまう。こういうのが問題だと批判して、新自由主義とか規制緩和論が出てくる、というのが政治学の教科書に書いてあるんですね。

私が学生たちに言っているのは、「むしろ私たちが圧力団体を作って、自分の利益を守ろうという発想をしよう」と言っているんです。集合行為問題はネガティヴなものだって政治学の教科書では教えているけど、まずは自分たちの利害を自覚して、それを守るために行動するという目先のことをやった方がいいんだろうなという気がするんです。それに、こういう議論をしている私のような学者だって組織化して頑張らないといけないのに、それがあまりにも弱いから、実際には敗北しているわけですよね。皮肉なことと思います。

ちょっと話を戻すと、憲法を守ることが、あるいは憲法を変えることが全体の利益になるんだというデカいことを、政治家や研究者、活動家は建前としては言うわけですね。でも、その建前に乗っ取られて、それが自分のアイデンティティの核になって、何の妥協やアクションもないまま、いろんなクラスターができている。こんな状況があちこちであるわけですね。

谷川　語弊があるかもしれないので、一応言っておくと、別にそういう大きい話が大事ではないということを話しているわけではないですよね。

杉谷　ですね。

谷川　それももちろん大事なんだけど、自分の生活からくる直接の利害をそっちのけにしているように見えるという話で。注意すべきなのは、「アメリカファースト」みたいな「〇〇ファースト」という論法も、公私の短絡だということです。自分の具体的な暮らしと具体的な政策・法案との接点をじっくり検討する時間を持とうよという呼びかけではなく、「〇〇第一主義」を謳《うた》うことで防衛意識をくすぐって、「お前ら攻撃を受けているぞ、やつらに仕返ししろ」と犬笛を吹いているんですよね。

アルゴリズム民主主義論の落とし穴

杉谷　そう。だから、自分の利害をちゃんと理解した上で、いろんな利害や事情を持った人たちと幅広く連帯できる社会のあり方というのを模索していかないといけない。でも、それが難しいからこそ、さっきの成田さんの『22世紀の民主主義』のように、「面倒くさい調整のプロセスをＡＩが勝手に最適化してやってくれる」と言われると、魅力的に聞こえるところはどうしてもある。

そういう世界になったら政治という概念が消滅するんですね。成田さんは、「最終的に政治家はネコになる」と言っている。つまり、マスコット化するので何でもよくなる、必要なくなるという話なんです。そういう提案は刺激的だし、一定の魅力があることを認めないといけないけど、そういう社会に私たちは住みたいのかと言われると、ちょっと違うんじゃないかという気はしてしまう。

成田さんの言っていることで私が引っかかったのは、「みんなの願望をかなえてくれる社会が、いい社会だ」という隠れた前提です。社会では自分たちの願っている通りにならないことっていっぱいあるじゃないですか。でも、それって悪いことばかりでもない。自分が思い通りにならない、自分の利益につながらないというままならなさがあるから、私たちは妥協するし、共に暮らせているんじゃないか。自分たちの選好を最大化していく社会が、望ましい社会だというのは、ちょっと短絡的すぎるんじゃないかと思うんですね。まだうまく反論できていないんですけどね。

谷川　一回目の対話の「私たちの疲れ」がまさに反論だったんじゃないですか。利害調整や議論のうまくいかなさこそが、いらぬプライドや意地を減退させ、連帯を生み出すんだと。

相手の言葉を観察することから対話が始まる

谷川　今回はこの本の話ばかりですけど、『ソーシャルメディア・プリズム』の助言に改めて注目したい。クリス・ベイルは「私たちは相手方といきなり議論しない方がいい」と言うんですね。これは、民主主義の原則からすると、変な助言ですよね。

ベイルいわく、いきなり対話をせずに、まずは時間をかけて、相手がどんな言葉遣いをして、何を大切に思っているかをじっくり観察した方がいい。つまり、「いきなり対話とかすんな」というのは、コミュニケーションの拒否ではなく、相手の世界観に響くような言葉遣いを探すことから始めなさいってことなんですよ。

これって、相手の立場になりましょうとか、相手の事情を想像しましょうとかともちょっと違うんですね。すでに党派的な物語に絡めとられているとき、私たちはまともな想像ができないはずです。相手の意図を邪推したり、洗脳を疑ったり、相手が愚かだと思ったりしかねない。そうやって想像力を暴走させないために「観察」が必要だという話なんです。

杉谷　陰謀論の話に通じるやつですね。

谷川　そうそう。観察しているうちに、相手の言葉を習得するんだけど、実は対話ってそこから始まるんじゃないのかというのが、私が『ソーシャルメディア・プリズム』から読み取ったことです。朱さんが新入社員への助言として、「かつての感覚を失わずに、違和感を翻訳して会社のボキャブラリーで表現してくれる人が一番ありがたい」って話をするって言ってましたけど、それとも同じですね。効果的な対話は、実は、相手の言葉遣いへの翻訳ができるくらい「観察」をやった後に生まれる可能性がある。

他方で、ベイルは、私たちは対立する相手の言葉を使うのがむちゃくちゃ下手だとも言っている。たとえば、リベラルな人に、恵まれない層が兵役に参加すると比較的裕福な層と同等のステータスを得られるというフレーミングで説明すると、軍事支出に好意的になる。それに対して、愛国心や集団への忠誠のような保守派の価値観で同性婚をフレーミングすると、同性婚を支持する保守派の割合が増える。こういう例をベイルは挙げているんですが、逆に言えば、言葉遣いやフレーミング一つで、対立って簡単に乗り越えられるところがあるわけですよ。ただし、こんな価値をまたいだ縦横無尽な言葉の翻訳は、今の私たちには難しいですね、やっぱり。でも、観察して習得することはできる。難しいことだけど、私はここに観察の可能性を感じるんですね。

……またしゃべりすぎました。

セルフクリエーション、あるいは、そこでしか成立しない言葉を作る楽しみ

朱 その話を引き取りつつ、頭に降ってきたキーワードを置いてみます。セルフクリエーション（自己創造）、自分で自分を形作っていくという意味の言葉です。

公私の話で言うと、「私」をどう紡ぐかというのはプライベートなことですよね。言葉の完全なオーナーにはなりえないのと裏返しですが、言葉という公共的なものでは、「私」というプライベートなものを作れない。だからこそ、僕たちは借りものじゃない言葉を求めて、死ぬまで自

分を探求するわけじゃないですか。つまり、自分自身を形作る言葉遣いをどんな風に創造し、選び取っていくかが、生きる上で問題になっていく。

自己創造は、自分を確固たるものとして固めずに、自分のボキャブラリーや考え方から距離をとって、改訂に開くというニュアンスがありますが、これは、徳が高い話とか知的エリートの話というより、それ特有の楽しさや快楽があるんですよね。自分はこんな言葉も使えるようになるかもしれないとか、こっちの考え方をとれるかもしれないとか。自分を改訂に開いて、自分を作り変えていく自己創造の楽しみにうまくフォーカスを当てられたら、ネガティヴ・ケイパビリティが、遠くの話ではなくなるのかなと思いました。

もう一つ言うと、かけがえのない恋人や友人みたいな属人的な関係を持つときって、マニュアルめいた言葉遣いではなく、その人を見て、通じるか通じないかわからない言葉を創造しながら関係性を作るわけですよね。この冒険に満ちた言葉遣いの探求って、ＳＮＳのネットミームとかを使う共感的で同調的なコミュニケーションからは得られないタイプの楽しさがあるはずです。この気持ちよさについてどうアピールするのかというのは、言語に関わる哲学者の仕事の一つだなと僕自身は思っています。

谷川　なるほど。鶴見俊輔がよく「紋切型の表現はよくない」「お守りみたいに定型句や熟語を口にするのはよくない」と言うんですね。それがなぜかというと、パッケージ的な関わり方、マニュアル的な理解がもたらされるからですよね。むしろ、世界や他者に対する解像度を上げることが大切で、それによって知覚が変化すると、ありがちな定型として相手を捉えたり、紋切型でしゃべったりすることが薄ら寒くなってくる。

たとえば、恋人だからといって、謎のウェブサイトが語るデートマニュアルに従ったり、妙な恋愛映画の真似事をしたりすれば、相手が喜ぶかというとそんなわけない。そうではなく、相手をよく知って、自分がその人と積み上げてきた時間を踏まえた上で、一緒に自分たちの言葉を作っていくことが大事ですよね。つまり、自分たちの関わり方やノリを一緒に作り続けていけるかというところが問題なんですよね。一見、むちゃくちゃ普通のことを言っていますけど。

朱　この話はコミュニケーション強者だけができるという話ではないと思うんですよね。友達いっぱいいるからといって、かけがえのない関係性がどれだけあるかというと、また違ったりするでしょうし。だからこれはコミュニケーション能力ではなく、そこでしかありえない言葉遣いを話すようになる関係性を持つ楽しさに気づけるかどうかという問題なんじゃないかなと。

『古見さんは、コミュ症です。』とイベント化する社会

谷川　ちょっと趣向を変えて、最近考えている話題を投げますね。オダトモヒトさんの『古見さんは、コミュ症です。』（小学館）っていう漫画原作のアニメがむちゃくちゃ好きなんですね。いわゆる学園もので、高校生たちの日常を描いた話なんですよ。すごくいい作品なんですけど、石岡良治《いしおかよしはる》さんという表象文化研究者が「プロムみたいだ」という感想を口にしていたんですね。プ

ロムって、アメリカの高校生がやる卒業パーティーみたいなものなんですが、それに喩えることで、日常の描き方が祝祭化していると石岡さんは指摘しているんですね。

長い作品なので、この特徴づけを逸脱するところは多々あるんですが、大筋でその通りです。文化祭や運動会はもちろん、誕生日パーティー、遠足の準備の買い物、友達の家でゲーム大会、消しゴム飛ばしトーナメントみたいに小さなことまで、『古見さん』では、細かくイベントが盛り込まれている。というのも、何でもイベントに変えちゃうプロデューサーみたいなテンションの高いメインキャラクターがいるので、『古見さん』は、日常をイベント的に表象せざるをえない構造になっている。

仲の深まるプロセスに、必ずイベントがあるし、仲の深まりがイベントを通じて表現されるというのは、私たちのリアリティそのもののように思えるんですね。「イベント」というパーティーのように目立った華々しい機会を介して日常を捉えがちになっているということです。

たぶん、コーポラティヴ・ヴェンチャーや中間集団という言葉で語ろうとしてきた公私の間にある踊り場のような存在って、イベントみたいな華々しい祝祭性だけでなく、もっとだらだらした時間を許容するものですよね。だから、イベントとは違う日常をどうやったら作れるのかというのは手がかりになると思ったんです。

杉谷　アメリカのドラマとか見ていると、プロムとか卒業パーティーで女の子に相手にされなかったナード（内向的なオタク）の男の子が、ずっとその経験を引きずるって描写がしばしばありますよね。イベントって良くも悪くも記憶に残るから、乗り切れなかった人がめっちゃ引きずる。

日本でもインセル（インボランタリー・セリベイトの略。「不本意な禁欲主義者」の意で、恋愛やセックスの相手を欲しているが叶わない人、特に男性を指す）とか非モテ男性と呼ばれるような人たちが、学校のイベントで女の子に相手にされなかった、嫌われていたといった自意識を育てて、ミソジニー（女性蔑視）にコミットしてしまう人は少なくない。イベントの問題って、その華々しさが作る「勝ち負け」みたいな構図ですよね。それが長く残る傷をもたらしてしまう。そこで思ったんですけど、乗り切れなかったイベントを追体験したいから流行っているというのも、ひょっとしたらあるんですかね。

谷川　それもあるんでしょうけど、それ以上に、SNSの影響が大きいんじゃないですか。イベントって、SNSに投稿しやすいことですよね。写真を撮って、「今日はこんなことあったよ」「友達とUSJ行った」「話題の○○食べた！」ってシェアしやすい。リアリティがイベント単位で構築されているということなんじゃないかなって。「最近どう？」って聞いても、イベントがなければ何も話せないと思っている人は割といるんじゃないですかね。『古見さん』は、イベント化した社会を象徴する物語のように思えるんです。

イベントとしての日常と、エピソードとしての日常

谷川　しゃべりながら思いついたんですけど、鶴見俊輔は、小説家の重松清《しげまつきよし》との対談で「エピソ

ードのない友情は寂しい」と言っている（『ぼくはこう生きている 君はどうか』潮文庫）。どちらも日常を捉える手がかりになるけど、エピソードとイベントって、方向性が違う気がするんです。
　バレンタイン、遊園地、バーベキューのような祝祭的な「イベント」とは違う、そこでしかありえない関係性が表現されているのが「エピソード」なのかなと思う。この先に何があるかわからないまま対比をしていますが、どうでしょう。

杉谷　イベントやＳＮＳを介さないと関係性が作れないし、イベントをフックにしないと集まれない、関心を喚起できない社会になっているというのは、そうかもしれないですね。

朱　それは面白いな。それって、僕が途中で言ったＳＮＳの副作用にもつながりますね。以前はポジショナリティを明示させられるという言い方をしましたが、主題があって、写真や言葉が投稿できるというＳＮＳの設計に、私たちがフレーミングされちゃうんですよね。だから、私たちの思考が投稿単位、ポストする単位になっている。イベント化というのは、まさにその影響かもしれない。でも、谷川さんが暗に言っていたように、別に人生はイベントに満ちてはいないし、リア充やパリピだって、ずっと祝祭的なイベントばかりやっているわけではなくて、そうフレーミングされているだけだという話ですよね。

谷川　ＳＮＳを通じて世界にイベントが満ちているとフレーミングされ続けているんだと思います。

朱　イベントとエピソードを対比させるというのは、面白いと思います。だって、帰り道にしゃべった何気ない時間が実験的な言語化の場面だったということがありえるわけですよね。それはイベントではないけど、エピソードではありえる。それは、SNSでシェアできるようなものではないんだけど、そこで行われた会話が自分を形づくるのであれば、確かに自分に変容をもたらしているし、意義深いことですよね。

「この人と話すときにしか出てこない言葉だ」と感じる力

朱 一つの確固たる「私」がいるわけではなくて、誰と話すかによって自分の違う側面が出ているという分人《ぶんじん》主義みたいな話ってありますよね。哲学でも、それと近しいことは語られているんですね。たとえば、「言葉遣いが私たちを作っている」というリチャード・ローティの見解なんかもそうです。これを額面通り受け取れば、谷川さんや杉谷さんと三人でしゃべるときのボキャブラリーにおいて「この私」が存在しているのであって、この収録を終えて自宅で同居人としゃべるときだったら、また別のボキャブラリーを持った私が立ち現れていることになりますよね。

ローティを離れてちょっと飛躍して言いますが、三人でしゃべっている「この私」について、僕自身が「こういう言葉がしゃべりたいんだ」「あのときに語り合った言葉が自分にとって大事だった」と思ったりするとして、この直観や判断が成立するためには、谷川さんや杉谷さんが必要不可欠になっている。だから、私のボキャブラリーが、まさに他者に依存しているんですよね。他者への関心というと手垢《てあか》がついた表現ですが、「この私」を成り立たせるものとして必要不可欠である他者への関心ってあると思うんですね。「なぜかこの人との間でしか出てこない話があるんだ」「この言葉遣いで話している自分がしっくりくるんだ」という感性、感受性を大事にできるといいのかもしれません。

杉谷　以前谷川さんがオルテガの話をされてましたけど、これって、オルテガの言う「大衆人」（自分が他者と同一であることに苦しみを感じず、むしろ平凡であることを誇るような人）のように、自分に開き直るということではないんですよね。そうではなくて、自分の日々の営みをもう一度冷静に自分なりに見つめ直してみるということだと思うんです。そういうことってハードルが高いように聞こえるけれども、決して不可能なことじゃないという。

朱　だと思いますけどね。結構楽しいことだと思いますし。

エピソードから生まれる手触りのある言葉

杉谷　ＳＮＳだと、「こんなやつにこんなガツンと言ってやったとか」「こんなうまいことを言ってやった」といった投稿ばかりで、大喜利みたいになっちゃってる。これも、一種の祝祭（イベント）ですね。イベントでないと自分を満たせられないというのは、時代の過酷さを表している気がするんですけど。

谷川　そういうときって、まさに言葉に乗っ取られている気がする。「こういうこと言っときゃいいやろ」みたいな。そういう言葉って、いつでも誰相手でも成立する。誰が聞いていても、言葉に乗っ取られている限りは同じことを言うので。

朱　まさにそうです。たとえば、かわいそうランキングみたいな無敵論法って、誰でも切れる刀みたいなものなので。

谷川　でも、三人で大切にしようとしてきた言葉は、エピソード的な日常で成立する言葉、特定の関係だからこそ作られていく言葉ですよね。イベントは、不特定多数に見られても成立するし、多少メンツが入れ替わっても問題ないものですけど、エピソードはそうじゃない。この場所で今このとき、具体的な誰かといるからこそ成立するもので、タンジブルな（触ることができる）ものですよね。

朱　そうですね。タンジブル、手触り。それはいい言葉かもしれませんね。

谷川　コーポラティヴ・ヴェンチャーの先にあるのは、いつでもどこでも誰とでも成立する言葉ではなく、手触りのある言葉なんでしょうね。

杉谷　言葉を見つめ直すスキルがどんどん失われていっている。政治を含めて日常を見つめ直す契機が、これまでになく少なくなっている。だから、SNSで見栄を張ったり、有名人とつながろうとしたりしなくたって、別にすでに生きている日常にエピソードがあるかもしれないという目ですよね。これが、ネガティヴ・ケイパビリティに近いのかもしれない。でも、そういう目で日常を見ることが難しくなっているというのが、今の政治と社会であり、SNSの状況なんだなと。

谷川　イベントに目を奪われているけれども、ネットであれ対面であれ、イベント的でないやりとりもやっているはずです。そして、そこにはすでに手触りのある言葉が、あるいはそのきっかけがあるはずなんですよね。そこに誰がいても成り立つようなプロム的なイベントではなく、エピソードに注目すれば、「この人と話すときの私ってこうだ」「わからないことを一緒に考えていける」「小難しい話を馬鹿にせず一緒に悩んでくれる関係だな」って感じる視点につながりますよね。いろいろな仕方で「こうすればある種のネガティヴ・ケイパビリティが発揮できるかもしれない」と指摘してきましたが、イベントではなくエピソードというのも、重要な手がかりだろうと思います。さて、編集の松浦さん、何か感想などありますか。

――すごく面白かったです。最後のエピソードの話に集約されていくというか、流れがすごく。それこそ紋切型のよくある「いい話」じゃない議論だったので、深いところまで納得できた感覚があります。もっと自分の身近なところに目を向ける、その目を育てなきゃいけないし、日常はイベントだけじゃないよなっていうのは確かにそうだよなと思いますし、お話を聞きながら『ちびまる子ちゃん』（さくらももこ、集英社）を思い出していたんです。

谷川　ああ！　あれはエピソードに満ちてて、イベントって少ないですもんね。

――ああいう感じでも楽しくなれるというところに、ヒントがあるんじゃないかというのがとても面白かったです。

古くからの考えを新しい装いで擁護し直す

谷川　何か言いそびれたことを言うチャンスを作りますか。杉谷さんは最後がいいですね。私、朱さん、杉谷さんの順で。

予期せず、イベントとエピソードという対比ができたんですが、やはりＳＮＳを念頭に置いた方がわかりやすいと思うんです。旅行とかクリスマスのような季節の祝祭だけでなく、仲間内でやる小さな遊びも含めて、イベントは、華々しく目立っているので投稿しやすく、「いいね」を誘いやすい。参政党や陰謀論って、イベント化した社会の表れのようにも思えます。その当事者って必死だし、笑顔なんですよね。なんとなくやりがいがあるし、ネットでの反響もあるし、自分たちなりに大義もあるし、そりゃ笑顔にもなるわけですよ。

でも、そういう過激なナラティヴに絡めとられた人は、ますますＳＮＳを更新して、ますますイベントを求め始める。そうすると、たった一つの言葉遣いに乗っ取られて、他の人がどんな言葉を使い、何を尊重して生きているかという「観察」が置き去りになってしまいます。二回目の対話では、アーレントの比喩を借りて「暗闇」と言いましたが、これを今回の言葉で言うと「ネットに投稿しなくてもいい」ってことだったんだと思います。いきなりパブリックにつながらずに、プライベートなものを大切にしようと語り合うことで、イベント抜きでもつながれる関係性、つまり、エピソードある関係の重要性を、私たちは表現しようとしていた。

こういう状況に対して、私たちは、古くからの考え方を新しい装いや状況設定で擁護し直してきました。中間集団を「コーポラティヴ・ヴェンチャー」「実験的日常の共有」「実験的な言語化の場所」と言ってみたり、日常のリアリティを「イベント」と「エピソード」で対比してみたり、アルゴリズム民主主義に対しては「私たちの疲れ」という地味な連帯の可能性を置いてみたり。若手研究者たちの対話にしては、極端さに欠けるというか、割と穏当で保守的なことを言っているところもありますが、そもそも、ネガティヴ・ケイパビリティってそういうことですよね。逆張り的な過激なナラティヴや、「これで全部いける！」という自己啓発本やビジネス書みたいな煽り、ＳＮＳの投稿みたいな祝祭的な華々しさなどからどうやったら降りられるかという話なので。

終わりなき自己相対化ってしんどいことなんじゃないかという話も繰り返されましたね。確かに、変わり続けることは人を不安にさせるところがある。やはり手がかりは「コーポラティヴ・ヴェンチャー」にあると思うんです。つまり、不安を冒険の落ち着かなさ、冒険に向かうそわそわした気持ちへとリフレーミングできるんじゃないかということですね。そう考えると楽しい気がする。「終わりなき自己相対化は、リフレーミングすれば恐くない」みたいな話ですが、中間集団論が示唆するように、言葉を作ることは誰かと一緒にやることなので、信頼できる仲間と語り合うと考えれば、実際怖いどころか楽しいんですよね。三回の対話で結論が出たのか出ていないのかわかんないんですけど、ネガティヴ・ケイパビリティという主題からして、そんなところでいいんだと思います。では、朱さんどうですか。言い残したこと。

自分のナラティヴを持つことの楽しさ

朱　今回の話で一番大事にしたかったところが、借り物の言葉じゃなくって、自分の言葉を持つということです。谷川さんの“You have to own your narrative.”（自分のナラティヴを持ちなさい）という話を聞いて、オウンってどういうことなのかと思っていたんだけど、後から振り返ると、私たちはずっとそのことを考えていたなという感じがします。この文章が指しているナラティヴって、エピソードと対応しますよね。

もちろん、言葉って常に公共的なものでどこまでいっても自分だけのものにはならないというのは一面の事実なんです。でも、何年もかけて自分がどんな言葉を選んで、自分の人格をどうやって作り上げるのかというのは、終わらない冒険だからこそワクワクするし、楽しいということだと思う。自分の言葉遣いや物語、つまり、自分の生活史を、「今だったら自分のことをこうやって語り直せるな」と思い直せること自体が楽しいことなんですよね。僕はそう思っていたし、今もそれは変わりません。

二回目の対話でもした話ですが、岸政彦さんの生活史とか、何でもない市井《しせい》の人たちの人生を聞くことにみんな関心を持って、『東京の生活史』みたいな分厚い本が、相当に売れたということは、興味深いと思うんですね。イベント的に目立っている人の話でもないし、ニュースがあるわけでもないし、有名人でもない人たちのナラティヴなんですけど。

「人生って物語られると、それ自体に価値が立ち現れるし、それ自体に面白さがあるんだよね」という感覚を、いま多くの人が持っている気がする。そうやって「自分を語ってみたい」とか、「誰かに語ってほしい」とかって、珍しい感覚ではないですよね。それをとっかかりに、ネガティヴ・ケイパビリティを「高度なこと言っているよね」じゃなくて、前向きに楽しめるものとして捉え直せるんじゃないかと思います。

谷川　自分のナラティヴを立ち上げる楽しさについて、すごいまとめっぽい。杉谷さん、最後は任せました。

政治の全面化が政治を弱らせた

杉谷　私がずっと気になってたことが、能力主義（メリトクラシー）の話なんですね。多くの人は、自分の能力は自分で勝ち取ったものだから、これだけの地位を得て当然なんだという思考になってしまう。

この問題が厄介なのは、ちゃんと能力で測られていないにもかかわらず、能力主義社会という「タテマエ」になっていることです。たとえば、女性はそのアイデンティティを理由に、無意識のうちに割り引いて評価され、十分に活躍できないということが起こっている。たとえば、東京医科大学の一般入試で、女性の点数が意図的に低く採点されていたという事件が、二〇一八年に明らかになりました。こういう事件は、まだ明らかになってないだけで、日本の至るところで起きているはずです。ちゃんと能力主義にもなり切っていないというのが、問題をさらにややこしくしている。

　イベント化した社会という話がありましたが、その背後にも能力主義があります。「自分というのは能力があって、魅力的な存在なんだ」とアピールしないといけない社会だということですね。しかも、一部の有名人だけでなく、万人がそうならないといけないという話になっている。

谷川　インフルエンサーって言葉が象徴的かもしれない。セレブリティと違って、万人が自分の魅力をアピールしている社会を前提とした言葉ですから。

杉谷　ただ、歴史を見ると、近代が始まって、大衆社会が成立して以来、多かれ少なかれ能力主義の傾向は続いてきて、たぶん、大勢としては今後も変わらないんだろうなという気がしているんですね。だからといって、能力主義を唯々《いい》諾々《だくだく》と受け入れて「しょうがないな」と肩をすくめるだけで済ませるわけにもいかない。ここで踏みとどまってどれだけ闘えるのかが試されているんだと思うんですね。

　インフルエンサーを中心に、「こいつはこれに反対しているのか、賛成しているのか」とセンサーを常に働かせているようなＳＮＳの状況が、かえって政治を弱らせている。つまり、政治が前景化することが、かえって政治を弱らせている。ＳＮＳって私的なものの露出に見えるけど、そうではなくて、プライベートなものが衰弱してパブリックが肥大化している。こういう話をしてきたわけですね。

　この状況に歯止めをかけるキーワードとして、ネガティヴ・ケイパビリティを掲げて、三回の対話をやってきたわけですけど、テクノロジーは私たちをどう変えたのか、公私をどうやってつなぎ直すのか、特にどうやってプライベートなものを取り戻すのかという論点をめぐる会話だったなと。

自分を振り返る目としてのネガティヴ・ケイパビリティ

谷川　全体を通して、どれくらい読者を感化できたかはわからないですが、実験的な日常を誰かと共有することの楽しさは見せられてる気はしますね。
朱　そこですね。自分たちが楽しんでやっていることが読者を触発する火種になればいいなと思いました。実際楽しくてやってますからね。私たちは、別に仕事じゃなくてもこんな感じでしゃべってますから。
杉谷　それで話しそびれたことを思い出したんですが、「反原則」「アンチ原則」がポイントですよね。つまり、何か型が決まっていて、「こういうふうにすればいい」という話はちょっと違うだろうという論点をめぐって、私たちは政治とか倫理とか言葉の話をしていた気がするんですよね。イベントとエピソードの話もそうだし。原則的なものを当てはめていくような思考に、私たちは慣れているけれども、型にはまることだけではないような、何かよくわからないもの、割り切れないものを掬い取っていく技術を高めていくことが、たぶん今私たちに求められていることだし、ネガティヴ・ケイパビリティがこの社会で必要とされている理由なのかもしれない。

谷川　そうか。エピソードはそこからどうなるかわからないけど、イベントって型にはまってますもんね。

朱　まさにそうですね。確かにイベントですもんね。

杉谷　広告も「型にはまるな」みたいなメッセージを発するくらい、ありふれたものですけど、実際には成功者って相当型にはまった語りをしていますよね。挫折したけど奮起して仲間の助けがあって成功した、というような。陰謀論の人たちも互いに驚くほど似ている。私たちは「型にはまるな」という教訓を知っているのに、よく似た語りをして、原則通りの関係を作って、型通りのイベントを楽しんでしまう。そういう社会からのメッセージをはねのけて、自分の身の回りに注意深くなれるかどうか、プライベートな関係をしっかり作っていけるかということが試されているんですね。

谷川　なるほどな。そうやって自分を振り返る視線に、「ネガティヴ・ケイパビリティ」って名前がついていると。それにしても、語りは尽きないですね。

朱　よくしゃべったな。でも延々しゃべれますね、この三人なら。

谷川　そうですね。杉谷さんの話から連想して、またいろいろ思いついたこともありますが、このぐらいにしておきましょう。ネガティヴ・ケイパビリティの精神に倣《なら》って、これで会話を終わらせずに、続きはまた。

【著者略歴】

谷川嘉浩（たにがわ・よしひろ）
1990年、兵庫県に生まれる。哲学者。京都大学大学院人間・環境学研究科博士後期課程修了。博士（人間・環境学）。現在、京都市立芸術大学美術学部デザイン科講師。単著に『スマホ時代の哲学』（ディスカヴァー・トゥエンティワン）、『鶴見俊輔の言葉と倫理』（人文書院）、『信仰と想像力の哲学』（勁草書房）、共著に *Whole Person Education in East Asian Universities*, Routledge などがある。

朱喜哲（ちゅ・ひちょる）
1985年、大阪府に生まれる。哲学者。大阪大学大学院文学研究科博士後期課程修了。博士（文学）。現在、大阪大学社会技術共創研究センター招聘准教授。単著に『人類の会話のための哲学』（よはく舎）、『〈公正〉を乗りこなす』（太郎次郎社エディタス）、『100分de名著 ローティ『偶然性・アイロニー・連帯』』（NHKブックス）、共著に『信頼を考える』（勁草書房）、『世界最先端の研究が教える すごい哲学』（総合法令出版）などがある。

杉谷和哉（すぎたに・かずや）
1990年、大阪府に生まれる。公共政策学者。京都大学大学院人間・環境学研究科博士後期課程単位取得認定退学。博士（人間・環境学）。現在、岩手県立大学総合政策学部講師。著書に『政策にエビデンスは必要なのか』（ミネルヴァ書房）、論文に「EBPMのダークサイド：その実態と対処法に関する試論」（『評価クォータリー』63号）、「新型コロナ感染症（COVID-19）が公共政策学に突き付けているもの」（共著、『公共政策研究』20号）などがある。

ネガティヴ・ケイパビリティで生《い》きる
——答《こた》えを急《いそ》がず立《た》ち止《ど》まる力《ちから》

二〇二三年二月一〇日　第一刷発行
二〇二四年六月二四日　第四刷発行

著者　谷川嘉浩《たにがわよしひろ》＋朱喜哲《ちゅひちょる》＋杉谷和哉《すぎたにかずや》
構成　谷川嘉浩
発行者　古屋信吾
発行所　株式会社さくら舎　http://www.sakurasha.com
東京都千代田区富士見一-二-一一　〒一〇二-〇〇七一
電話　営業　〇三-五二一一-六五三三　FAX　〇三-五二一一-六四八一
編集　〇三-五二一一-六四八〇　振替　〇〇一九〇-八-四〇二〇六〇

装丁　石間淳
装画　橋本豊
印刷・製本　中央精版印刷株式会社

ISBN978-4-86581-375-3